理直氣平

理直氣平

理直氣平

理直氣平

理直氣平

勇於改變才會進步

洪蘭——著

出版緣起

王榮文

一九八四年，在當時一般讀者眼中，心理學還不是一個日常生活的閱讀類型，它只是學院門牆內一個神祕的學科，就在歐威爾立下預言的一九八四年，我們大膽推出《大眾心理學全集》的系列叢書，企圖雄大地編輯各種心理學普及讀物，迄今已出版達二百種。

《大眾心理學全集》的出版，立刻就在臺灣、香港得到旋風式的歡迎，翌年，論者更以「大眾心理學現象」為名，對這個社會反應多所論列。這個閱讀現象，一方面使遠流出版公司後來與大眾心理學有著密不可分的聯結印象，一方面也解釋了臺灣社會在群體生活日趨複雜的背景下，人們如何透過心理學知識掌握發展的自我改良動機。

但十年過去，時代變了，出版任務也變了。儘管心理學的閱讀需求持續不衰，我們仍要虛心探問：今日中文世界讀者所要的心理學書籍，有沒有另一層次的發展？

在我們的想法裡，「大眾心理學」一詞其實包含了兩個內容：一是「心理學」，指出叢書的範圍，但我們採取了更寬廣的解釋，不僅包括西方學術主流的各種心理科學，也包括規範性的東方心性之學。二是「大眾」，我們用它來描述這個叢書的「閱讀介面」，大眾，是一種語調，也是一種承諾（一種想為「共通讀者」服務的承諾）。

經過三十年和三百多種書，我們發現這兩個概念禁得起考驗，甚至看來加倍清晰。但叢書要打交道的讀者組成變了，叢書內容取擇的理念也變了。

從讀者面來說，如今我們面對的讀者更加廣大，也更加精細（sophisticated）；這個叢書同時要了解高度都市化的香港、日趨多元的臺灣以及面臨巨大社會衝擊的中國沿海城市，顯然編輯工作是需要梳理更多更細微的層次，以滿足不同的社會情境。

從內容面來說，過去《大眾心理學全集》強調建立「自助諮詢系統」，並揭櫫「每冊都解決一個或幾個你面臨的問題」。如今「實用」這個概念必須有新的態度，一切知識終極都是實用的，而一切實用的卻都是有限的。這個叢書將在未來，使「實用的」能夠與時俱進（update），卻要容納更多「知識的」，使讀者可以在自身得到解決問題的力量。新的承諾因而改寫為「每冊都包含你可以面對一切問題的根本知識」。

在自助諮詢系統的建立，在編輯組織與學界連繫，我們更將求深、求廣，不改初衷。

這些想法，不一定明顯的表現在「新叢書」的外在，但它是編輯人與出版人的內在更新，叢書的精神也因而有了階段性的反省與更新，從更長的時間裡，請看我們的努力。

理直氣平 增訂版

目錄

第二篇 學習力

第三篇 競爭力

第四篇 神奇的腦

第五篇　溝通力

第六篇　生命力

自序

勇於改變才會進步

這本書中所收集的文章，是我過去聯合報、國語日報、天下及遠見等雜誌上所寫的專欄。算一算，竟然是我寫的第十七本書了。人真是不琢不成器，編輯若不催，稿子也寫不出來，催急了，坐在桌子前面，一邊寫，一邊改，總是不滿意。（一九七八年諾貝爾文學獎的得主艾薩克．巴什維斯．辛格〔Isaac Bashevis Singer〕曾說：「字紙簍是作家的益友。」）雖然不滿意，期限到了，無可奈何，只好硬著頭皮繳出去。不知為何，一旦印成鉛字後，越看卻越好，有時還很驚訝自己怎會神來一筆，難怪俗語說：「文章是自己的好，太太是人家的好。」也難怪英國文學家毛姆（Somerset Maugham）會說：「人們要求批評，但是他們要的是讚美（"People ask for criticism but they only want praise."）。」人真是誅心啊！

事實上，不論文章也好，政治也好，沒有批評就不會有進步，只是很少人有李光耀那樣的胸襟，當香港人批評新加坡人沒有服務的ＤＮＡ時，他不慍不怒的說：「漏氣不會死，沒氣才會死。」的確，唯有深度自我期許的社會才樂於檢討；唯有檢討之後積極有效的行動，才能使自己進步。人最怕守成、安於現狀不肯改變，事情只有做了才會知道哪裡要改進。年輕人其實不怕犯錯，只要不犯第二次錯就好；如今社會上瀰漫著多做多錯的心態，這是要不得的。現在的人也習慣空口說白話，只聽樓梯響，不見人下來，要知道那是紙畫大餅，充不得飢的！講得再好聽都抵不上一個執行力，天下事只有實際動手去做了，才有成果出來。我們都聽過南海和尚的故事，一個已經朝聖回來了，另一個還在計畫未出發。凡事躊躇不前，只會蹉跎掉一生。

最近跟幾個企業家在談未來人才的培育，他們都一致認為這一代的年輕人如果要和別人競爭，第一要有穩定的情緒（包括接受批評的雅量），其次是嚴守自律，第三是抗壓性高，第四是閱讀能力強。嚴長壽總裁最近在微軟的一場公開演講中則說，服務的熱情和敬業的態度是二十一世紀競爭最重要的條件。

哪個大學畢業、在校考第幾名，出社會以後已經無人在乎了，它充其量在面試時使你加分，但是就業後一切靠自己的能力，所謂「不會行船順風翻，會行船能使風八面」。過去文憑是通往理想工作的護照，現在頂多是簽證，使你進入市場而已，一切還是要看自己的能力。有能力才會勝任，能勝任才會敬業。工作是深刻喜悅的來源，人一定要喜歡自己的工作，才會有成就出來，人生才有意義。本書中有好幾篇文章都在反駁明星學校和名次的迷思，人只要不畫地自限，每個人頭上都有一片天。

這本書能出版還要感謝燒菜給我吃的好友李珀校長和張杏如執行長。《金銀島》的作者史蒂文生（Robert Louis Stevenson）說：「朋友是你送給自己最好的禮物，只要有朋友，我們就非無用之人，若被人所愛，我們就是不可或缺（indispensable）的了。」朋友豐富我們的人生，好朋友尤其是一輩子的福賜。這些朋友每次有好吃的都沒有忘記我，她們叫我專心寫稿、譯書，她們負責打理我家冰箱。受到朋友這樣的肯定，我怎敢不努力翻譯、努力寫作呢？

目前臺灣教育還有很多的迷思尚待破除，大人也仍有許多的觀念尚待改變。韓愈說：「化當世莫若口，傳來世莫若書。」我想盡力兩者都做，讀者若能從這些文章中得到一些新知、一絲喜悅、一點啟發，就不枉這些大忙人燒菜給我吃了。

第一篇

品格力

品格力

沉澱心靈，反思自我

最近陪一群國外學者去參觀臺灣九二一地震後重建的小學。他們都非常驚訝臺灣的小學蓋得美侖美奐，尤其是廁所。很多學校用五顏六色的小石頭砌出有民族風味的廁所牆壁，令人驚艷。參觀完後，有位教授在車上問：「為什麼廁所裡沒有看到鏡子？」經他這樣一問，大家也馬上覺得好像洗手檯前沒有鏡子，甚至整個學校都好像沒有看到鏡子。我記得小時候，學校的穿堂都有一面正衣冠的鏡子，不知什麼時候沒有了。

我的抽屜裡有一個很精緻大小組合的小鏡子，那是五十年前我大學畢業時，對門鄰居，臺大病理系系主任葉曙教授去日本開會時，買回來送我的。那時出國不方便，需要申請出境證，一般有公務才能出國。葉伯伯從小看我長大，所以我大學畢業時，他特地買了這個鏡子給我，告訴我一前一後對著照，就可以看到後腦的頭髮有沒有梳整齊。

他說人的眼睛長在前方，所以可以明察秋毫，看見別人的缺點，但是後面沒有眼睛，所以看不見自己的輿薪。這個鏡子可以幫助你前後都照到，人只看到前面的缺點還不夠，還得知道背後有沒有不整齊，所以鏡子要兩面，一前一後，盡量使自己完美。

轉眼五十年過去了，葉伯伯已經作古，但是他的禮物還在，他的話也讓我受用不盡。看到現在的社會，人們都在大聲的指責別人，沒有靜下來反省一下自己，很是感慨，不知它是否跟我們去掉了每天照鏡子的習慣、沒有教孩子如何反省自己有關呢？

當我跟學生談起這個問題時，他們都笑著說：「老師，你太落伍了，現在有手機，隨時可以看自己，還可以自拍，拍完不滿意還可以修到滿意為止。現在大家都喜歡手機中的自己，不喜歡鏡子中的自己了。」我聽了更加憂慮，手機中美工修飾過的自己是不真實的呀！

3C產品革新了我們的生活，沒想到它也順便革掉傳統的價值。最近有一本好書叫《無所事事的美好時光》（*In Praise of Wasting Time*），作者為了推動東南亞新一代女性領導人的發展，常去一些很偏遠的地方訪視。他說有一次他去到柬埔寨一個偏遠，沒有水、沒有電的小村莊，每天早上，婦女騎著自行車去十英哩外的市集，以物易物，換他們自己無法生產的物品和食品回來。他問其中一個婦女每天這樣來回需要多少時間？這個婦女很困惑的說：「我從來沒有想過這個問題。」她們對時間絲毫不感興趣，使作者感嘆在「已開發」國家每個人的生活是分秒必爭，已經沒有辦法想像他小時候，放學回家，在樹林裡玩，坐在池塘邊，看著蝌蚪變青蛙的那種美好感覺了。

科技講究快，它帶給我們生活上很多的方便，卻也偷走了沉澱心靈，反思自己的時間。鏡子是小事，但如何學會不指責別人卻是社會大家和平相處的大事。

品格力

尋回基本的做人價值觀

自從學測成績揭曉後，身為系主任的好友便忙著準備面試，但他卻很煩惱，因為找不到面試官，系中同仁都不願意做。當然試務費很少是一個原因，但最大原因是老師的心理障礙，每個老師都說面試完心情沮喪，回家吃不下飯，所以不肯擔任面試官。他來向我訴苦，我便找個機會請他的老師們吃便飯，想助他一臂之力。

第一位老師告訴我，二十年來課綱一直在改，改來改去，改到現在，孩子不知道自己是誰、自己的根在哪裡，更不要說問一些比較大的人生理想問題。他覺得收這種學生沒什麼意思，但又不能不收，所以苦惱，不想承擔這個責任。

對於他的問題，我在做所長時，每年都要擔任主試官，所以很有切身經驗。就拿口試一定會問的「你希望自己將來成為一個什麼樣的人？」來說，十個有九個回答「不知道」、「沒想過」，少數幾個回答「科學家」。碰到這個答案，我們都會很興奮，便再問下去，「你認為作為一個科學家需要什麼條件？你覺得你自己有哪些符合作為一個科學家的條件？」一多問就糟了，因為多半瞠目結舌，答不出來。有一個說：「我有好奇心。」我很高興，因為好奇心的確是做科學家的一個必要條件，接著又問他：「可以給我一個你有好奇心的例子嗎？」這個學生居然說他喜歡看八卦新聞的小報和週刊，令我當場氣結。

另一位老師很嚴肅的說：「國家民族意識是一個國民必有的基本核心價值觀，現在的學生在政府的大力去中國化之後，一般都沒有什麼正確的價值觀。也就是說，舊的價值觀被推翻了，新的卻還沒有建立，他們處在青黃不接的中空階段。假如他們不知道自己是誰、要做什麼，他們怎麼能馬上轉大人，去投票決定其他國民的命運？我們從事的是高等教育，但是基礎教育、中等教育沒有把學生的品格根基打好，我們教他們高科技是不是為虎作倀？幫國家培養沒有民族大義的科技人士，對國家民族是不是更有害？**科技可以把事做對，但是人，才能決定什麼是對的事情**。我們現在用科技在改善世界，但是機器人懂得什麼？難道不是program它背後的人在主導著未來的世界？當他們沒有正確的價值觀，唯利是圖時，我們的世界要走往哪裡去？」他的一席話使旁邊幾位老師一致點頭，令我勸說不下去。

回家看到報紙在談銜接問題，今年因為新課綱，各級學校都發生銜接問題，其實我認為最大的銜接在價值觀的銜接上，男生穿裙子比起總統府香菸走私是哪個重要？為何學生關心的是前者而不是後者？

人生天地之間，總要有點作為才不辜負此生。為什麼現在的高中生不會去想我要做個什麼樣的人？為什麼沒有人回答：「我要做個頂天立地的人，仰不愧於天，俯不怍於地」？我們的民族正氣到哪裡去了？**教育要銜接的應該是傳統的做人價值觀**，不是嗎？

品格力

3 童蒙養正，受益終生

一位記者寄她的採訪大綱給我，開頭第一句話便是「你外子任教育部長時……」，我看了很驚訝，外子是對別人謙稱自己先生，只有太太可以用，別人是不行的。文字是記者吃飯的工具，怎麼連這個都不懂呢？

後來又看到一則笑話：有個男生在麵館中看到了他想追的女生，同學便慫恿他前去搭訕，他鼓起勇氣轉過頭去對那女生說：「喂，你叫什麼？」那女生驚訝的回答：「我叫牛肉麵。」雖是笑話卻很令人感慨，因為打招呼、稱呼別人是人際溝通的第一步，想不到現代人連這個基本禮貌都不會了。

古人教孩子是先教應對進退，《三字經》中就說：「**為學者，必有初，小學終，至四書。**」古人是六歲進學，先學灑掃、應對、進退，學好了，才開始學認字。古人都是先從應對上來看一個人的教養。我小時候，父母總是耳提面命：跟長輩說話一定要站起來；老人家沒有坐，你不能坐；沒有小孩大剌剌的坐在椅子上，而長輩站著的道理。這個禮儀學會了，讓座根本不是問題，何至於公車上還得貼標語「請讓座給老弱婦孺」呢？

「衣著整潔」也是一種基本的禮儀。最近碩士班甄試竟有學生穿著T恤、短褲、夾腳拖鞋前來口試，這不僅是對老師的不尊重，也是對自己的不尊重。如果你都不尊重自己了，別人怎麼會尊重你呢？有些人甚至都為人師表了，也不知道這個禮儀。有個大學的助理教授要升等，到院教評會去報告他的案子，居然穿著無領T恤、破洞牛仔褲、涼鞋就上臺了。他如此不尊重自己，當然別人也不會尊重他，他的升等沒能通過是意料之中，沒有人感到驚訝。

這種待人接物的禮貌其實就是品格，**古人說「童蒙養正」，孩子啟蒙時就要先教「正知正見」，以後就不會偏差了**。難怪北歐國家的父母如果願意留在家裡自己帶小孩，政府會給父母零用錢，因為家教太重要了，它影響孩子的一生。

啟蒙的重要性在於大腦掌管記憶的海馬迴到四歲左右才成熟，但是四歲之前我們已學會很多東西，那時的學習機制主要是模仿。研究者已在人類大腦中發現鏡像神經元，找到了模仿的神經機制，所以父母親的身教非常重要。這也是罵人沒有家教時會引起打架的原因，因為它把父母也罵進去了，這句話隱含了連父母也沒有教養，因為如果父母有教養，孩子耳濡目染，自然也會有教養的。

現在政府在**推品德教育，從學理上來看，它必須從家庭做起，父母帶頭有品德，孩子才會有品德**。古人都知道「小學終，至四書」，禮貌學好了才教《四書》，我們卻為何反其道而行，沒有先教應對進退，就塞一堆植樹問題、火車追趕、排比、映襯這些出社會後用不到的知識給孩子，而把最重要的做人的禮貌給忘了呢？

品格力

4 沉著與膽識非一蹴可成

一個人能不能成大事，跟他遇事是否沉著穩健、有沒有膽識很有關係。這個人格特質其實就是我們所謂的領袖氣質，它一部分是天生，一部分是後天的養成。

林則徐年輕時家貧，在福建省長樂縣的縣衙做個小小的文書吏。有一天縣裡突然接到福建巡撫張師誠四百里加急的文書，緝捕江洋大盜林則徐解省。縣令知道林則徐一向自律嚴謹，絕不可能是江洋大盜，但是上級的命令又不可違抗，便勸他逃亡，願給他盤纏行資。林則徐不肯，說：「苟有罪，不逃刑，無則可大白於世，不能含糊了事。」

到了撫轅才知道，原來張師誠看到林則徐寫的簽呈文字簡潔有條理，很欣賞他，卻不知他的人品如何，便用這個方法試他的膽量，看他有沒有「猝然臨之而不驚，無故加之而不怒」的涵養。看林則徐果然來報到，很是滿意，便把林則徐留在巡撫的轅門，做自己的祕書。

過年時，巡撫照例要向皇帝拜表賀歲，張師誠便命林則徐寫一則黃綾奏摺。林則徐恭楷寫好了後，以為是例行公事，等巡撫看過便可以發送出去。想不到張師誠蘸筆在奏摺上改了幾個不相干的字，叫林則徐回去重謄，要等他回來看過才可發送，送出後才可回家過年。

這件事換作別人就會生氣了，已經是除夕，大家都趕著回家過年，這一兩個字可改可不改，無關宏旨，為何要故意挑毛病呢？但是林則徐沒有抱怨，提起精神恭楷寫過，等待張巡撫回來看，結果一直等到天亮，巡撫才回來，他注意看林則徐的表情，林則徐臉上沒有不悅的神情。

於是，張師誠跟林則徐說：「以前看你的字越到結尾越有精神，這是很難得的，所以今天用這個方法試一試你的涵養，現在看來你將來必定會飛黃騰達。」他最後還講了一句：「吾兄他日功業將勝吾萬萬，願以子孫相託。」林則徐後來果然不負張師誠的提攜與期望，做到晚清名臣。

一個人能成偉人，一定有跟別人不同的地方。膽識原是只有在突發的情境中才可以觀察到的，張師誠懂得如何觀察人，如果林則徐是千里馬，那麼這位張師誠巡撫可算是伯樂了。

沉著穩重也可以在生活中訓練，平日多讓孩子做事，讓他有機會接觸到不同情境，觀察到不同人的反應。最重要的是萬一事情做錯，不要大聲斥責，使孩子心生恐懼，以後不敢再試；更不可過度責罵，使孩子因怕被罰而委過他人。

科學家已在大腦中看到沙盤演練的效果——看到別人做或想像自己做這件事，跟實際動手做，活化的是同一個神經迴路。對孩子要訓練他、培養他，讓他像林則徐一樣，對自己有信心，沒做虧心事，半夜敲門心不驚，坦然面對不測；對自己分內的事盡心做好，如果抄寫文書是自己的責任，那麼除夕夜不能回家也不能抱怨，因為那是自己的工作。**多讓孩子看偉人傳記，不論這人在時空上離我們多遠，都能從其言行中學到他的成功之道**。

品格力

不是本能的事都需要好好的教

中國人喜歡「沉默是金」，過去大人很少跟孩子說話，如果說話也是很簡潔，甚少花時間跟孩子說明道理或原委，其實這是不對的。跟孩子相處時，要盡量把握所有的機會教他做人做事的道理和進退應對的禮節。最近偶然聽到一位教授的助理在幫他接電話，從他說話的方式，我知道他得罪了對方，之後詢問他成長的背景，才知道原來是「沒有教過」。他因家境好，所有事都有別人代勞，他從來沒有替別人接過電話，都是別人替他接電話，所以不知道這方面的禮儀。回家後，網路上有人傳一篇文章給我〈孝順是要教的〉。兩件事湊在一起，我發現凡是不是本能的事，都需要教。

現在很多孩子不會做事，是我們大人教得不夠，因為大家都忙，孩子忙著補習，大人忙著賺錢，沒有相聚的時間，就是相聚也沒有時間講我們父母以前對我們說的話。現代父母最常說的話是：「趕快去做功課」、「趕快去洗澡」、「趕快去睡覺」……。生活步調緊湊，已經沒有時間或精力教孩子做人的道理了。加上沒有三代同堂，孩子無從觀察父母怎麼跟他們的父母相處，所以不知道進門要先向父母請安、好東西要先給父母吃等等。

我朋友說現在助理來上班不跟任何人打招呼，一頭就鑽進實驗室；離開時，也不告訴老闆一聲，背包一背就走人；叫他做事常常弄巧成拙，所以不如自己做。問題是：人是社會動物，與人相處不可以不懂得基本的生活禮儀，所以父母親不能再省略跟孩子說話的時間了，也不能只用命令式，沒有解釋原委。很多意外的發生是孩子不知道為什麼要這樣做，所以他就按照他以為是對的方式做，結果就闖了禍。

唐朝的開國元勳李靖在未發跡前，原是山中的獵戶，有一次他追一隻鹿進入深山，夜暮迷途，看到林深處有燈光，走過去發現是一座大宅院，他便請求借宿。主人原是不允，但是夜深無奈何，最後老夫人告訴他，半夜若有什麼動靜都不要管，天明就上路，若能答應才肯讓他借宿。李靖在當時情況下只好答應，而且也不疑有他。李靖睡到半夜，果然聽到外面車馬喧囂，原來天庭下旨要龍王行雨，可是龍王不在家，老夫人便請李靖代行，告訴他，當龍馬停住時，只要從水瓶中滴下一滴水即可。李靖從雲中看到底下人間荒年大旱，地都裂開了，心想一滴水無濟於事，便下了二十滴。結果等他行完雨回來，老夫人卻被天庭庭杖八十，子孫連坐，因為天上一滴水是地上一尺雨，如今人間平地水深二丈，房子都沒頂，豈復有人，李靖的好心竟帶來了災禍。唐朝傳奇說李靖因為這件事，後來未能出將入相。

我們看到大人少講一句話，就有災禍生。孩子不懂原委，便會自作主張，以他認為是對的方式做，做時還很得意，以為可以討賞，其實是弄巧成拙，壞了大事。所以**父母要花時間跟孩子說道理，只要有任何機會都要盡量的教，現代的「文武全才」應該是讀書和做人都行的孩子，也惟有教出這種孩子，父母的責任才都完了，這種孩子才是將來社會真正可用之人**。

品格力

6 讓孩子一開始就沒有機會走歪路

最近打開報紙，全是瘋狂殺人的新聞：臺灣的失業男子誤信殺人可以轉嫁霉運，隨意殺死跟他無冤無仇的陌生人；美國二十七歲的男子殺死親生母親、祖父母、叔、嬸和姪兒之後還放火燒屋，在逃亡時見人就殺，一共殺死了十一人；德國則是一名十七歲的學生拿槍到母校掃射，殺死十四名同學之後再去購物中心殺人，一直殺到警察將他擊斃為止，共死了十七個人。

看到這麼多冷血的殺人新聞時，我們忍不住要問：現代的社會究竟是怎麼了？為什麼從亞洲到美洲、到歐洲，人都變得如此瘋狂、嗜血？

有人認為這個世代的孩子不是在父母的懷抱中長大的，他們是在電視保母、冰冷水泥牆的公寓中長大的，沒有感受到人性的溫暖，所以視人命如草芥。我們不知道這是不是原因之一，但我們知道孩子的成長需要大人的關懷，缺乏關懷，孩子易有反社會人格。**父母並不需要二十四小時把孩子抱在手上，但是必須在孩子需要你的時候在他身旁**。事實上，不一定要有血緣關係的人，街坊鄰居或任何人，只要能帶給孩子安全與溫暖，都對孩子心智正常的成長有幫助。

美國前總統夫人希拉蕊・柯林頓曾經寫過一本書《同村協力》(*It Takes a Village*)，認為一個孩子的成長光靠父母的力量是不夠的，需要全村人的同心協力才可能成功。在冷漠的工業社會中，這個觀念就更重要了，我們現在特別需要社區的人一起出來關懷孩子。在一個守望相助、社會結構緊密的社區中，孩子是不太可能變壞的，因為他沒有機會。

有個孩子早上起來看到天氣很好，就想逃學去郊外玩，他背著書包往城外走，走到一半，碰到趕羊的，那人問他：「羅貝托，學校在那邊，你怎麼走到這裡來了呢?方向錯了。」他急忙編了一個謊搪塞過去。走不遠，碰到砍柴的，又問他同樣的問題，等到碰到第三個人的時候，他就掉頭往學校去了。因為三個人裡面，一定有一個人會碰到他母親，他逃學的謊話一定會被拆穿，所以就乖乖回去上學了。這是義大利一個教授的親身經歷。他之所以能成為教授是他們全村的人彼此關心、監督、照顧每一個小孩的成果，孩子一開始就沒有機會走歪路。

我小時候的臺灣也是如此，我母親去醫院生妹妹，我們就很自然到隔壁的張媽媽家、李媽媽家吃飯；左鄰右舍全是耳報神，我們在外做了壞事，在到家之前，訊息一定已經傳到母親耳朵裡，一進門，家法就伺候著了。我們在成長過程中，充分感到大人對我們的期望，每個人都要你成材，在很窮的時候是不允許父母投資失敗的。假如你的父母打赤腳，把錢省下來讓你有鞋子穿，你敢不爭氣、不努力讀書來回報父母嗎？現在社會雖然富裕了，但人心還是肉做的，人還是需要別人的關懷，如果我們能夠多關心一下別人的孩子，說不定這個孩子就不會變得偏激，不會走上不歸路。

一個孩子心智的成長需要很多人的關心與引導，在經濟不景氣時，我們更需要有能力的人多做：多聽孩子一句話，或許他不會氣到拿刀去殺人；多幫助一個大人，或許他不會絕望到帶孩子去燒炭自殺。每一樁悲劇的發生都表示我們做得還不夠，請在今晚睡覺前問一下自己：我還能為別人多做一點什麼？

在實做中學習生活教育

報載高雄縣有兩名國中男生把五根縫衣針直立於導師的椅墊上，當老師坐下時，針沒入肉中。老師被自己教的學生如此惡整，難過得說「肉痛，心更痛」。

這則新聞看了令人怵目驚心，臺灣的師道越來越單薄，不敬也就罷了，還被凌虐，真叫我們做老師的寒心。更令人驚訝的是這兩名學生說他們只是想惡作劇一下，這就更嚴重了。一個長到十四歲的孩子怎麼會不知道針刺入肉會痛？難道這兩個孩子在成長的過程中不曾穿過針、縫過線？不曾被針扎過？怎麼會做出這種沒有同理心的事來？

多年前高雄縣也有個國中生把剪刀豎在同學的椅子上，當同學一屁股坐下去時，剪刀深入直腸，當場血流如注，休克，幸好沒死，但是必須裝人工肛門。可以想像這孩子的人生一夕之間完全變色！闖禍的同學也是說「只是惡作劇」。當時，我就非常不解，念到國中，怎麼會不知剪刀是利器，可以致命？

看到報上列出臺灣近年來學生惡作劇的八大事件，更使人憂慮加深，因為件件都使受害人一輩子遺憾，不由人不替臺灣的教育擔憂。一味的強調分數已使我們的學生不知道做人的基本道理是什麼了。我們竟然有孩子把安眠藥磨成粉放入老師的茶水中，在同學的便當中放瀉藥，這其實就是「下毒」，一種最陰險卑鄙、眾所不齒的害人方式。不敢想像小學六年級生就懂得下毒，我們是以什麼樣的教育在教育孩子呢？人天生就有的同理心到哪裡去了呢？

孩子一出生，大腦中就有鏡像神經元，在醫院的育嬰室中常會一個嬰兒哭，全部嬰兒都哭；一隻小猴子看到別的猴子受苦，牠會跑過去拍撫、安慰，所以古人說：「**人之初，性本善。**」人天生有人溺己溺、人飢己飢的同理心。這個同理心一直到幼稚園都還有，我們會看到老師處罰一個孩子，其他孩子會哭。我們要問的是，為什麼接受的教育越多，同理心消失得越快，看到別人受苦，我們反而幸災樂禍了呢？

教育的目的是使人超越動物的本性，使人成為更好、更高尚的社會分子。受過教育的人應該是通情達理、懂得人情世故、有正義感、有同理心，而不是自私自利、不辨是非，什麼事只要我喜歡有什麼不可以，完全不顧對方的感受和後果。美國教育哲學家杜威（John Dewey）一百年前就說：「生活即教育，教育即生活。」**生活教育必須在實做中學習**。只重視課本知識，每天待在教室或補習班中背誦，是捨本逐末，完全違背教育真正的目的。如果沒有在大腦可塑性最強的時候把基本的待人接物道理教給他，我們的苦頭還在後面！

椅墊插針這件事是個警訊，我們的教育出了偏差，我們不可再把頭埋在沙中，假裝沒看到。清末林則徐在禁菸時說：「如果不禁，中國將無可用之兵！」我們擔心的是現在不改變教育重點，臺灣以後也無可用之才了。

品格力

電腦世代孩子缺的是規範

數年前參加了幾個有關品德教育的研討會，會中討論最多的是電玩，大人都把它當洪水猛獸，而小孩卻都愛玩電玩，親子因電玩的觀念不同而衍生出許多管教上的問題。當孩子很想要而父母堅決不肯時，孩子會忍不住說謊或偷錢，父母則因孩子不聽話而更加嚴厲控管，道高一尺，魔高一丈，形成一個惡性循環。其實，一種遊戲這麼吸引孩子，硬禁是禁不掉的，更何況研究發現，打電玩對大腦的反應速度有幫助，只要不是色情或暴力的遊戲，適度的玩一下是可以的。

人的大腦會不停的因為外界環境的需求而調整內部的組織，例如：盲人的視覺皮質沒有使用到，因此會被徵召去幫助他讀點字。大腦裡使用機會多的組織，其所占的區塊便大；而不常使用的組織，則會被借調他用。甚至只要把眼睛矇上五天，我們的視覺皮質就會被挪去幫忙處理觸覺和聽覺的訊息。大腦的機動性讓我們驚訝，也明白沒有坊間說的「人只有用到百分之十大腦」這回事。大腦是每天都在運作，努力使自己在演化上更占優勢、更成功，絕對不可能讓百分之九十的細胞閒閒沒事幹。

認知神經科學家看到這些打電玩、在網路上長大的α世代孩子（社會學上，一九四六～一九六四年出生的叫嬰兒潮，一九六四～一九七六年生的叫X世代，一九七七～一九九六年生的叫Y世代，一九九七～二〇一〇年生的叫Z世代，二〇一〇年後生的叫α世代），發現他們的大腦已經跟我們不一樣了，他們每天快速的在網上瀏覽大量的訊息，使他們判斷螢幕上隨機出現的幾何圖形的速度比我們快，他們在網路上尋找所需資訊的速度比我們快且準，他們從一個作業切換到另一個作業的速度也比我們快。我們必須一心一用，他們可以一心多用；我們如果一邊看電視一邊說話，我們會說錯話，把電視上的字嵌到本來要講的話中去說錯，而他們比較不會。

因為網路的訊息是即時的，他們這一代已不耐煩久等，凡事要立即見效。這是為什麼α世代的孩子常常同時開著兩部電腦，一部上網搜尋資訊，另一部下載所要的資訊。

看到實驗報告後，我們知道現在的教育方式非改不可。假如他們習慣了快速的網路閱讀、快速求證（麥可・傑克森猝死的消息一出，我兒子立刻上網求證，看了各國的新聞社網站後，臉色沉重的出來說麥可・傑克森真的死了），我們怎麼可以再用在課堂中一個字一個字念的上課方式去滿足他的求知欲呢？一個會上網的孩子會不停的在網路上學新的東西，父母只要稍微留意一下就會看到，他們對著螢幕的眼神是熱切的，而對著黑板的眼神是無奈的。因此學校教育的方式要改，父母教養的方式也要改，不能用十九世紀的理念去教二十一世紀的孩子。

大環境改變了，社會對孩子的需求也不同了，二十一世紀的孩子知識上不用我們操心，他們有心要學，可以學得很快。**父母要教他們的是自制和自律，α 世代孩子缺的不是刺激而是規範，而規範要從小自生活上做起。**

其實品德教育就是生活教育，一個家教良好的孩子走出來是有禮貌的，做事是有品質的，談吐是有品味的。

品格力

9 品德教育要大家一起來

一個書教得很好也熱愛學生的老師不教了，來找我寫介紹信，說要出國讀書。問她為什麼，她苦笑說教不下去了，不是不會教，而是家長不好教。她說班上有兩個女生打架，她把她們分開後問為什麼，一個女生哭著說：「她每天叫我肥豬，我叫她不要這樣，她不聽。」她問另一個女生：「你為什麼叫她不好聽的名字？」那個女生理直氣壯的說：「哪有什麼不好聽？我爸每天叫我媽肥豬，我媽也沒有生氣。」

原來這個學生在家裡看電視時，只要有女生出現，她爸就指著電視上的女生問女兒：「那個人跟你媽比，誰胖？」女兒回答：「媽胖。」她爸就很高興。去動物園玩時，她爸也會指著河馬問：「河馬和你媽，誰胖？」她說：「媽胖。」她爸就笑得更開心。所以她一直以為肥豬沒什麼不好，她爸每天都這樣叫她媽。

一個好老師知道要改正一種行為必須讓學生知道「為什麼」，所以她跟學生解釋：人的體重有百分之八十是先天決定的，也就是脂肪細胞的數量和新陳代謝的快慢，只有百分之二十是後天飲食形態，自己可以控制的，如：要吃什麼、吃多少等。孩子的體型跟同性別父母有高相關，如果母親胖，女兒將來胖的機率也比較大，尤其中年新陳代謝減慢以後，體型更為相似，所以不可以用胖瘦去歧視別人。

不料這樣一說之後，嘲笑人的同學現在變成被人嘲笑了，因為她母親是胖的。第二天，這個學生的家長氣勢洶洶的來校，破口大罵老師，說她在同學面前詛咒他女兒，還說那個同學胖是事實，他女兒只是很誠實的說出事實，卻被老師修理了，他要去找議員討回公道。校長一聽找議員就害怕了，便要老師道歉、寫悔過書，老師不肯，就遞辭呈了。我聽了很難過，現在社會風氣敗壞，只比拳頭不比念頭，當家長不講理而校長怕事時，一個好老師就被逼走了。

我們都知道品德教育要從家庭做起，由父母以身作則，在日常生活中教導孩子待人接物的道理。但是假如父母不夠資格做楷模，怎麼辦？像那位家長，專以取笑別人為樂事，而且取笑的對象竟然是孩子的母親，他難道不曉得，當他不尊重孩子的母親時，孩子怎麼會聽母親的管教？

幸好蓮花出汙泥而不染，孩子也可以透過閱讀了解是非與對錯。小時候有一次月考，老師突然被叫出去接電話，很多人趁機作弊，我也很想跟進，但是想起父親叫我念的書中說「**可以直中取，不可以曲中求**」，就不敢了。書裡有許多父母沒有機會教我們的東西，看了書，懂了道理就不會去做。

品德是立國的根本，法國路易十五的財政大臣柯伯特（J. B. Colbert）說：「一個國家是否偉大並不在它疆域的大小，而在他國民的品質。」英國作家及改革家史邁爾斯（S. Smiles）也說：「一個民族缺少了品格的支持就註定會滅亡，一個民族如果不再奉行忠誠、正直、公平、正義，它就失去了生存的理由。」

品德運動要成功，需要全體國民一起參與，大家見義勇為、挺身而出，指責不對的事，讓輿論產生力量，即所謂千夫所指，無疾而死。當善的聲音大時，惡的聲音就小了，孩子每天耳濡目染，自然就學會了行為的準則。

品格教育建立尊重感

快放寒假了，我們趕在放假之前送書上山，讓孩子帶回家看，希望他讀完，他的弟妹也會順手拿起來看一下。與我同去的一位退休校長說，在沒有學校評鑑之前，他只要走進一所學校，看看校園整不整潔、學生有沒有禮貌，就知道這個校長的辦學如何。回想過去所看的學校，果然如此，真是一針見血，見微知著。我好奇這麼有經驗的校長，為何才五十幾歲正值盛年就退下來了？他苦笑說：「鐵打的衙門，流水的官，走馬燈的校長。」現在的校長有責無權，現行的制度也不允許校長發揮，做得再好，兩任八年一滿一定要調校，一調走，前功盡棄，新校長一切重新開始，有時甚至連校門都改了，因為不合他的風水。

我聽了好生驚訝，一種校風的建立需要時間，學生必須每天受到薰陶，潛移默化，出來才會與人不同。我初進北一女時，不知天高地厚，很想玩，因為遊戲實在比念書有趣，但是找不到玩伴，校園中都是琅琅書聲，如不讀書，鶴立雞群，自己也覺得很突兀，只好拿起書來假裝讀，久了，習慣成自然，就養成讀書的習慣了。我高中同學的父親是新竹中學的校長辛志平，我們去她家玩時，覺得新竹中學的學生跟我們不一樣；即使同樣是男校，新竹中學出來的學生也跟建中的不一樣，這就是校風的影響力。校風是一所學校的無形校規，一個做得好的校長，應該讓他持續做下去才會看到成績，如果四年一換，每天都在重起爐灶，也就難怪現在的學校沒有特色了。

為什麼要這樣一直換呢？他們告訴我為了防弊。過去曾有校長做久了，跟地方人士熟稔之後，有循私出過弊案，於是亡羊補牢不讓校長有坐熱椅子的機會。結果為了除弊，犧牲了教育的目的。美國著名的心理學家史瓦茲（B. Schwartz）說：「規則（rules）可以防弊，但是太多的規則會產生庸才（mediocrity）。」社會一直在變，規則的制定趕不上環境的變遷，更何況再好的規則都無法涵蓋所有的情境，機器人為什麼不能取代人？因為機器人不會隨機應變（improvise），依情境把法條背後的精神實踐出來。我曾看過一位小兒麻痺症的女士，因為沒有帶身心障礙手冊而不能買優惠票，她都必須靠枴杖才能行走了，如果這不是身障，什麼才是？眼睛所見的事實難道不及一張紙印的證明書嗎？這就是史瓦茲所謂的沒有 moral skill，不知如何去做對的事。

這種實用的智慧（practical wisdom）的不足是我們社會的一大隱憂，但是這種實用智慧是教出來的，不是天生的（made, not born）。一個有智慧的人不一定是最聰明的人，聰明人沒有智慧反而會被聰明所誤，而且這個「教」不是在課堂中教倫理學，而是建立典範，改變社會風氣。

教育要教學生唯一的東西就是品格（character），學生要學會尊重自己、尊重同學、尊重老師、尊重「學習」。有了品格，其他德行自然會出現。當每個人都有實用的智慧時，事情自然就辦得好。

品格力

心中的尺不可變

數年前，吃午飯時，電視播出以宣告破產逃避欠稅的孫某人帶著新婚妻子逛街血拚的新聞，大家一陣錯愕，群情激憤。有人憤憤不平的說：「這種人不收押，我稅繳得不甘願！」有人大罵法律不公平，單親媽媽欠了一萬二的罰金，連年夜飯都不能吃，被抓去關，要念國中的兒子出來賣餅賺錢把媽媽贖出來，但欠三億元的人卻可以吃大餐、買鑽戒、開名車。也有人開玩笑說：蝨多不癢、債多不愁，關不關其實是看各人的本事，有錢人可以請名律師，鑽法律漏洞，逍遙在外；無錢人只好丁是丁、卯是卯，一分錢都逃不掉。

我想起以前上法律系的課時，老師提及：「我們都說世法平等，其實這是障眼法，世法是不可能平等的。比如說：河水深四尺，這是法度，對所有人都一樣的。但是假如你身高超過四尺，渡河就無礙，水淹不到你；如果身材沒有四尺高，這時就要看你游泳的功夫了，有人安全過關，有人溺斃。它還是法，但是八仙過海，各顯神通，端看你的本事如何。」

我記得當時聽了氣憤不已，如果連社會正義最後一道防線的法律都是這樣，還念什麼法律系？出社會後，經歷多了，這才了解老師說這些話的無奈。理想與事實常不符，只要牽涉到人，就做不到公平，因為人有私心。因公忘私、大義滅親那是理想，偶爾有人做到，便會在歷史上留名。

紀曉嵐是清朝的名臣，照說他應該是高風亮節，為後世楷模，但是他會被貶到伊犁去就是因私忘公。他的親家是鹽官，被御史參一本，乾隆要查。他任職軍機處，行走上書房，先知道了這件事，便寄出一信警告親家，信中只有一把鹽、幾片茶葉。雖然沒有字，但是一看就知道「查鹽」，對方馬上就填補了虧空。這事被乾隆知道後，把他貶到伊犁充軍。紀曉嵐當然知道不該通風報信，但是想到女兒在他家做媳婦就還是循私了。曾經有個縣官在衙門貼了大字「不要錢、不要官、不要妾」，結果有人在後面用小字添上：「不要錢——嫌少、不要官——嫌小、不要妾——嫌老」。

現在教孩子最困難的就是舉不出好的例子來做他的楷模，因為媒體報導的都是負面新聞。有人說，中國人喜歡圓融，事緩則圓，只要有關係，就是有關係也沒關係；如果沒有關係，就算沒關係也變得有關係。這是不對的！我們要告訴孩子雖然行事可以變通，但是**心中的尺不可變**，**做人還是要非廉泉不飲**，**非梧桐不棲**，**賊祿一定不可養親**。

生命到最後，面對的是自己的良心，不是法律。做一個讀書人最起碼要知所進退，有所為，有所不為。時任行政院的劉兆玄院長瀟灑下臺，沒有一句怨言，正是中國人說的「**得意時勿太快意**，**失意時勿太快口**」。我們終於看到了一個教孩子的好榜樣。

12 學習是需要有楷模的

有學生寫信問我：「既然將來要走的是專業的路，為什麼還需要讀專業以外的知識？」這原因是：在辦公室所做的事決定我們的收入和地位，在家裡所做的事決定我們是何等人。

如果一個人的工作正好就是他的嗜好（hobby），那麼，做自己喜歡做的事，還有人付錢給你做，這是最幸福的人生。但是一般人常常是不得不做他必須做的事。在做完應做的事之後，如果有個嗜好可以抒解壓力、安撫心情的話，人生會快樂很多。這個嗜好可以是閱讀、音樂、戲劇等任何能寄託心靈的東西。研究發現，**生活有寄託的人在遇到挫折時，比別人更容易東山再起**。**同時，我們在專業之外所關心的事決定我們會是何種人**。

在青少年人生方向尚未定型之時，閱讀偉人傳記是一個非常好的指引。我會問學生：「史懷哲是哪國人？」不是要看他能不能背出來，而是他如果仔細閱讀，就會發現史懷哲的國籍是個非常複雜的問題，也是關乎他一生的重要問題，因為他成長的年代正是歐洲列強瓜分弱小民族的時候。讀他的傳記，不但了解為什麼他會流芳百世，同時也了解了歐洲當時的情勢。國際化不是會講英文而已，它是了解各個國家的民族文化背景，使自己在不同的場合中做出合宜的舉止與反應。

史懷哲出生在法、德和瑞士交界的亞爾薩斯（Alsace），現在它是法國的一省，但是在一八七五年史懷哲出生時是屬於德國（它曾在一八七一～一九一七年及一九四〇～一九四二年時屬於德國，在我們小學時好像都讀過〈最後的一課〉這篇文章）。戰爭的殘酷，難民顛沛流離的辛苦，使得史懷哲擁有悲天憫人的胸襟，他看到列強對殖民地人民的待遇，於是發願要去非洲為黑人服務。他視所有人皆為上帝的子民，不因膚色、出生地而有優劣之分。一九五二年他獲得諾貝爾獎時，德法曾經為了他是哪一國人發生爭議，最後法國贏了，因為史懷哲不認同德國對猶太人的迫害，不願做德國人。

史懷哲具有濃厚的音樂素養，是著名的巴哈樂曲演奏家。他去非洲時，巴黎的巴哈學會還捐了架鋼琴到非洲，讓他在工作之餘可以彈琴自娛。音樂對他非常重要，每天不論多忙都要彈一下，就像愛因斯坦每天都要拉一下小提琴一樣，音樂抒解壓力，安撫心靈，使他活到了九十歲。

專業以外的涉獵與嗜好使我們的心靈有寄託，談吐風趣，言之有物。人除了專業之外，還有感情，一個人必須先安頓好自己才能幫助別人。人文素養或許與他的專業無關，卻與他是個什麼樣的人有關。史懷哲不只是醫師的楷模，他也是所有人的楷模。只有透過閱讀他的傳記才知道為什麼他會受到後人的景仰，自己才知該如何效法他。

當一個教授怎麼教也教不完學生一生所需的知識時，老師能做的就是教會學生思考，指出未來的方向，引導學生走上正途。**鏡像神經元的發現讓我們看到模仿是最原始的學習，學生需要有楷模，需要從偉人的傳記中培養出「有為者亦若是」的志氣！**

品格力

志工服務帶給孩子同理心

數年前看過青輔會出的一本志工手記，非常感動。年輕人的可貴就在於他們入世未深，還不知世道艱難，人心險惡，所以他們天真、純潔、善良，看到別人有難會義不容辭的幫助，有人溺己溺的精神。因此在教育上，我們應該把握這純淨心田的時期，給他們種下真善美的種子，讓他們長大成為有品德、有教養、有同情心的好國民。正因為如此，美國高中有各式各樣的社團，學校鼓勵學生參加，家長也都非常支持。

社團是個小型的社會，學生透過社團活動找到生命的意義和志同道合的朋友。很多當年社團朋友後來成為終身的好朋友，或最後結成夫婦，因為大家志趣相投。美國大學的入學申請表中也有一項，要列出曾經參加過的社團，以及做過的社會服務。這一項在入學的考量中占的分量很重，因為以教育來說，品德最重要，學校都希望收到品德良好的學生，再在品德的基礎上，賦予專業知識，最後成為國家的棟梁。志工服務在醫學院和法學院的入學考量上尤其重要。

年輕人一直是所有政黨想要掌握的資源，因為他們有理想、有衝勁。我記得在中學時，學校牆上有個大標語「時代考驗青年，青年創造時代」。每次走進校門，看到這句話都覺得熱血沸騰，要好好讀書，書生報國；現在想起來，當年真的很天真。但也因為年輕人熱情、理想，所以外國有這樣的諺語：「二十歲以前不是共產黨，這個人沒有熱情；三十歲以後還是共產黨，這個人是白癡。」

如果能在孩子年輕充滿理想與熱情時，帶領他們做志工，走進服務人群的領域，對他們以後的人生有很大幫助。我們看到在學生時代參加過志工服務的人，長大進入社會後，比較有同情心、有正義感。所以美國甘迺迪總統上任後，成立「和平志工團」（Peace corps），號召年輕人去貧窮國家、落後地區服務。一九六九年我去美國讀書時，班上就有兩位同學是秘魯回來的和平志工，他們在班上的表現非凡，也比我們成熟，畢業後求職也很順利，因為老闆知道他們有理想，能吃苦耐勞，願意栽培。因此，當我看到現在臺灣的高中生、大學生去尼泊爾、蒙古等偏遠地區服務，或是去山地偏鄉幫助弱勢兒童或老人時，真是非常高興。他們終於走出了溫室，接受時代的考驗了。

我更驚訝的是，給年輕人一點空間，他們的創造力其實非常好，他們到老舊社區，利用四十五天的暑假，製作網頁，將社區活動上網，把社區裡外改變得煥然一新。並將老的磚廠改頭換面，燒出藝術瓷磚，把原本無人要的磚頭變成可以登堂入室的藝術品。更感動的是去服務殘障和老人的同學，他們的愛心替很多無依老人帶來了陽光。一位幫助盲人的高中孩子寫道：「一個正常人如何才能體會到身心障礙朋友的痛苦呢？」答案是「永遠沒有辦法」。這是真的，除非身歷其境，否則永遠沒有辦法體會別人的痛苦。這正是為什麼做志工這麼重要，相信她將來在任何行業上都會很體貼、很體諒。

志工服務帶給孩子同理心，希望有更多的學生能去追求課本以外的天空！

14 天生我才必有用，化作春泥更護花

前幾天在晚宴時，有位朋友說臺灣現在最大的問題是M型社會。這種社會就像一棵樹，它擁有越多的樹葉就會從太陽得到越多的能量，而越多的樹葉也會有越多的落葉，落葉腐化後自然就會有螞蟻、真菌和蚯蚓來把腐葉轉化成肥料，所以它就越強壯。他說越有錢的人越是能得到最多的資源，錢滾錢會使錢累積得越快，最後多到得用麻袋來裝。他認為在教育上，家中環境越好的，越有能力補習，越能考上公立的好學校，好學校出來的學生越容易找到好工作，好工作會有好的生活，有好的環境，他的子女就越能補習，如此循環下去，貧富差距就拉大了，M型社會就形成了。他比較悲觀，覺得一落入這個惡性循環中，窮人八輩子翻不了身。

我倒不覺得，雖然「越有越容易有」，這好像是大自然的法則，但也不一定。因為種子一定要落在母株勢力範圍之外，才不會跟母株競爭陽光、水分和營養。為了使下一代長得更好，越大的樹種子越要落得遠，這時新種子從發芽起，就得獨立

奮鬥，無祖蔭庇佑。這樣情況所長出來的樹反而更強健，不怕風吹日晒雨打。在人類社會中，我們也看到很多富不過三代的例子，《紅樓夢》裡，曹雪芹說：「**樹大必空，盛極必衰**。」靠祖蔭只能一時，不能一世。樹要脫離母株才會發展得更好，人也是要離鄉背井打天下，財富才能持久。

由此看來，大自然還是很公平的。科學家甚至發現森林大火是必要的世代輪替，因為有些種子不易發芽，必須等到大火把它烤過後，堅硬的外殼剝落，裡面種子才抽得出芽來。等到它長大，各領風騷多少年後死去，位置由別的樹木占據，它的下一代要等到下一次森林大火，才會再出現，這也算是植物界的「政黨輪替」。因此，**每個人都應該心平氣和的充實自己，等待自己的機會，只要不死，總有出頭的一天**。

其實，**教育要教的是每個人都要有「天生我才必有用」的信心。能力強的把自己照顧好後，便應該幫助他人，把自己用不到的東西讓別人使用**。社會學家很早就說過，社會能夠運轉就是社會中每個分子各盡所能，各取所需。當每個人都受過教育、都有能力，他就有機會翻身了。

樹死後會化成肥料，讓後來的樹長得更高大；人也是一樣，上一代的努力會讓下一代更有發展的空間。外國人說：「來自塵土必歸於塵土。」中國人也說：「**落紅不是無情物，化作春泥更護花**。」樹葉和死去的樹是森林未來的土地，有這種生死循環，大自然才能生生不息，生是死的開始，死是生的機會。

了解到人類不過是百代的過客後，我們就懂得不必藏私，反正帶不走，不如物盡其用，造福他人，而他人的努力又會使自己的下一代過得更好。當每個人都能這麼想時，M型的社會就有可能自然消失了。

第二篇

學習力

學習力

別人的人生經驗是自己金不換的知識

在研討會的歡迎晚宴上，我坐在一位從美國史丹佛醫學院回來開會的小兒科教授旁邊，因為菜上得慢，在等待期間，我們便閒聊起來。他告訴我他是小留學生，十二歲全家從高雄移民到美國，所以能講流利的國語。

我問他：十二歲這麼小的年紀就搬到一個語言、文化完全不同的地方去，這好比樹木連根拔起移栽，他是如何適應下來，並且在短短的六年時間，把功課讀好，進入麻省理工學院和哈佛醫學院，在美國打出一片天下來的？

他想了一下，回答我說：主要關鍵在他對學習方法的領悟。在美國上學，背景知識的要求很廣，無法都記住，所以他想辦法讓課程和經驗結合在一起，透過思考來幫助記憶。他說蘇格蘭一位很有名的企業家杭特（Tom Hunter）曾經講過一句名言：「I do 比ＩＱ有用。」在臺灣講究「背」，在美國講究「做」。

他的話深得我心，從神經學上我們看到經驗促使神經連接，只有動手去做，神經才會連接得又快又密。而主動的「想」去做，手甚至都沒有動，大腦中，管那個行為的運動皮質區就已經活化起來了。但這不表示知識不重要，知識可以讓人少走很多的冤枉路。

中研院李遠哲院長七十大壽時，有人送他一個大的瓷壽桃。製作者跟李院長講，這個紅色的釉是她試了千百萬次，最後才燒出來的顏色。李院長聽了跟她說：「唉呀，你怎麼不來找我？釉的顏色跟化學反應有關係，我們可以去調配釉的成分，燒出你要的顏色來。」我當時坐在旁邊，聽到後馬上覺得這就是為什麼人要不斷的進修，土法煉鋼會浪費很多材料、時間和精力。在古代，沒有化學分析，只能靠經驗的累積和傳承，所以要拜師傅。現在不一樣了，知識重要了，光有經驗，自己不能去反省咀嚼，從經驗中抽取教訓，也是枉然。

這位史丹佛醫學院的教授說，人類大部分的狀況是沒有像課本上的標準答案可參考，尤其在醫學上更是如此，沒有兩個人的病況是一模一樣的。**大部分的時候，你必須自己做判斷、下決定，一旦下了決定，就不要後悔，因為人世間沒有「早知道」這回事**。專家在技術上比我們好，但是專家也不能替你做決定，因為人生，尤其是病情，有很多是心理因素（即所謂的安慰劑效應，一顆普通的糖片，若病人以為是特效藥，只要他信以為真，這顆糖片就能發揮藥效，目前已知，所有的藥物中，有百分之三十三為安慰劑作用），所以好醫生是醫人，不是醫病。

他告訴我，他常問病人：生命中最重大的學習經驗是什麼？在他教學行醫的二十多年中，從來沒有人提到學校所教過的課，都是說：與死亡擦身而過時，改變了自己對人生的態度。所以，這些年來，他學會了經驗加反省才是不會消失的學問。在離開宴會時，我跟他握手道別，誠心地對他說：「聽君一席話，勝讀十年書。」

別人好的人生經驗對我們來說，是金不換的知識，因為它長了我們的智慧，使我們的人生能夠更圓滿。

2 給孩子適才適性的教育

一個很早以前教過的學生，在一個國際的研討會上，前來跟我說：「老師，您以前說沒有不可教的孩子，如果學生沒有學會，不是他笨教不會，而是你不會教。當時我沒有什麼感覺，只覺得教不會—不會教同樣三個字顛倒一下，意思就完全不一樣，很有趣。後來我發現您是對的，因為我曾做過無脊椎動物海蝸牛的實驗，發現連這種這麼簡單的動物也有好幾種不同的學習，而且每種學習都有短期記憶和長期記憶：用水去噴海蝸牛幾次，牠會縮起來，但是習慣了，牠就不理你了，因為水是個不重要且無害的刺激；但是用電去電牠時，牠馬上學會敏感化，改變牠的行為。假如這種簡單的動物都能馬上學會聯結，人怎麼可能學不會？因為人類的社會比牠複雜了千萬倍。每個人有不同方式學習的念頭改變了我對做助教的態度，使我一路有助教獎學金念到博士學位。」

是的，如果連線蟲這種毫米長，只有九百五十九個細胞、三百零二個神經元的動物都可以學會習慣化和聯結時，人哪有學不會的？

所謂「習慣化」就是有機體適應牠的環境，對重複出現無害的刺激不反應。我們看到住在鐵道旁邊的人家對晚上轟隆轟隆的火車聲充耳不聞，若是一般人就會睡不穩。而「聯結」就是去發現和記住環境中哪些因素是有害的、哪些是有利的，然後趨吉避凶。

過去我們都以為無腦且只有三百零二個神經元的線蟲，牠的行為一定是先天設定的；結果不是，牠是學來的，因為即使是基因上完全相同的兩個有機體，牠們生活環境還是有可能不同，因此，牠們必須學會自己獨特環境所必要的生存條件。由此可知，**只要是動物，都有學習的能力，關鍵在於找到適合牠學習的方式**。

現在神經科學家可以從大腦某些區塊的血流量來決定這個生字會不會被記住。這個實驗的作法是給三組學生看六十個字，第一組只要決定這個字的字母是大寫還是小寫，第二組只要決定這個字是否跟 chair 同一個韻母，第三組要決定它是不是一個動物的名字。結果發現第三組回憶得最好，平均可以回憶出百分之七十五，因為他們處理到字意義的程度，其他兩組只是很膚淺的處理形和音，所以第二組回憶出百分之五十二，而第一組只有百分之三十三。

當在核磁共振中重複這個實驗時，研究者發現第三組學生的額葉皮質活化起來了，海馬迴及它旁邊的海馬旁迴皮質也活化了，這幾個區域的活化直接反應這個字處理的深度，所以它可以預測這個字會不會被記住。其他兩組只有在前額葉皮質留下淺淺的波痕。所以**要教學成功，老師一定要先引起學生注意，引發他去深度處理這個訊息，把表層的淺腦波轉化成如海嘯般的大波，一直衝到前額葉皮質去，這個記憶便留下來了**。

神經學上的研究讓我們看到凡是動物都有學習的能力，人類當然更有，端看我們當老師的如何因材施教，引發學生們大腦的深度處理。

學習力

3 多語學習，活化大腦

我曾在一個學術研討會的歡迎晚宴上，聽到一個年輕的大陸企業家對一群人說，他對大家一窩蜂送孩子學英文很不以為然，他認為再過十年，大陸會是世界第一貿易強國，那時各國商人都會來中國做生意，因為大陸的人口眾多，就像可口可樂公司的老闆說的，每個中國人買一罐可樂，那就是十四億罐的可樂，商機無限，屆時，中文會變成世界貿易的語言。他的孩子只要會講中文就可以了，因為貿易用的是強者的語言。

我聽了有點驚訝，對貿易我不懂，但是我知道多學一種語言對大腦是有好處的，多語言會改變大腦的結構，防止或延緩失智症的產生。

研究者發現雙語者在使用一個語言時，他的另外一個語言也會同時活化起來，這時他掌管注意和抑制功能的前腦額葉背側區（DLPFC，前腦稱作「總裁腦」，負責計畫、策略、情緒控制等認知功能）會大量活化，而使人不說錯話。因為每天要說話，那個區域就會不斷的被活化，因此強化了注意和控制的機制，從而改變大腦各區域的連接。當神經迴路的臨界點比較低時，便容易觸類旁通，舉一反三。所以雙語者一般比較「機智」和「急智」，對當下的反應較快，也更能隨機應變。

核磁共振的腦造影研究顯示，雙語者在兩個語言中間轉換說話時，會啟動大腦很多其他部位的活化，包括：控制認知功能的左下額葉迴（L-IFG），這是重要認知功能的執行區。雙語增強這個執行功能的好處並不限於語言而已，在其他認知功能方面都有助益，假設在安靜的環境中聽一個聲音，比如說 /da/，單語者和雙語者大腦腦幹對聲音的反應是一樣的；但若是環境吵雜時，雙語者腦幹神經元活化的程度就比較強，聽得比較清楚。而會兩種語言以上的多語者的反應又更優於雙語者，腦造影圖片顯示他們左腦下頂葉的灰質（神經元）和白質（神經纖維）都比較多。

這個雙語的益處在嬰兒七個月大時就可以觀察到，實驗者給嬰兒聽一個聲音，然後一個布偶就出現在銀幕的一端，此時嬰兒會轉頭去看。當實驗進行到一半時，布偶改在另一端出現，實驗者發現雙語嬰兒比較快學會規則改變了，會去適應新的需求。

多學一個語言不但改變大腦神經元處理訊息的方式，也改變大腦的結構，研究發現雙語者學習新知的效果比較好，他們學第三語言的速度比單語者學第二語言時來得快，也輕鬆些。

語言是最重要的認知功能之一，大腦是環境和基因互動的產物，趁年輕時用大腦多學習，儲存些認知老本（Cognitive Reserve），老年時即使得到阿茲海默症，發病期也會晚些。一個二百位失智老人的實驗顯示，雙語者病徵初出現的年齡為七十七．七歲，而單語者為七十二．六歲；確診平均年齡，雙語者為八十．八歲，單語者為七十六．五歲。人活著不是只有做生意賺錢而已，最主要還是把自己的理想和抱負發展出來，這兩者都需要大腦的認知功能去完成它。

學習力

偏鄉更需要好老師

多年前天災不斷，南投縣信義鄉豐丘明隧道坍方，壓死了好幾個人，其中有兩位罹難者的孩子從幼幼班到小六都在東埔國小念書。孩子突然之間失怙失恃，心中惶恐可想而知。大家看了都於心不忍，打電話給東埔國小校長，想幫忙孩子們，但他婉拒了。他說布農族長久以來飽受天災人禍，已經習慣了在逆境中求生存，他鼓勵村民自立更生，確定不行了，才找人幫忙。他說先讓事情沉澱一下，看部落自己有沒有辦法幫助這八個孩子，不足時再告訴我們。「牛飼料吃久了，會忘記牠原來是吃草的。」我聽了很感動，「**自助**、**人助**、**天助**」，**人應該先靠自己**。看到這麼有骨氣的校長，他的學生將來一定會有出息。

每次颱風一來，山上就斷水斷電斷道路，老師們要走路上山，不能開車，因為泥土太軟，承載不了重量。對山地偏鄉老師的補助，我認為可以多增加一些，以留住好老師。我們很難想像入夜以後一片漆黑，沒有什麼便利商店，要吃根冰棒都得下山的情景。其實山上老師對孩子心智的啟發，不是區區一點偏遠加給的錢可以買得到的。山上的小學是部落的中心，山上的老師不但是孩子的啟蒙師，還是他們的舍監、護士和榜樣。學生對老師的依戀常讓我們平地人看了心酸，他們有什麼好吃的都拿去給老師。但是山地的條件太差，常留不住老師，總是剛跟學生熟稔，就請調下山了，有的學生甚至每學期都得適應新老師。

某年暑假去大陸講學，看到湖北省教育廳長將他們最優秀的大學畢業生送往偏鄉去服務，心中非常贊同。越是偏鄉越需要好老師，我們應該用軟體來彌補硬體的不足。**當老師最重要的是那顆心，但是除了滿腔的熱血之外，政府若能多些補助，更容易留住那顆心的主人。**

教育的錢最不能省，因為心智的啟發不能用錢來衡量，我們怎麼知道教出來的學生有一天會發明阿茲海默症的藥，拯救了全人類呢？就算每位山地老師偏遠加給的錢增加一倍，都還少於我們為中輟生所付出的社會成本，更何況補助不一定是錢，可以是行政上，如：優先派遣出國進修、研討會保留名額，或是免費的戲劇、音樂會票（文建會的預算中，每年都有編表演團體的支助，但是演出不見得每場爆滿，只要保留百分之一的票給山地老師就夠了）、山地老師買書半價優惠等等。我所看到的老師都很有熱情，很有愛心，只要有一點特殊補助，讓他們覺得被肯定、被看重，相信許多人是會願意留下來的。

山地學校教師流動率太高，曾經有到百分之九十，除了校長以外，每位老師都下山了，真的很為學生抱屈，誰家願意自己的孩子每年換導師？但是我們能怪老師嗎？誰願意住在一下雨就坍方、交通斷絕、好像孤島的部落？我們要想辦法留住好的老師，更要選拔好的山地校長。有一年中秋節大颱風，山地斷水斷電數日，有位校長傳了一則簡訊下來：「沒有電，月亮分外明，使我想起沒有電的小時候，黑夜在山上奔跑，跟我爸爸獵飛鼠的情形，很快樂。」這種校長就是我們要找到、要留住的校長。

山上的孩子不是二等公民，我們沒有辦法使颱風不來，但是我們可以使他們在學習上享受到跟平地一樣的資源，包括老師在內。

學習力

讓學習彈性不疲乏

最近有位高三的同學寫信給我，說越到高三越知道升學的重要性，卻越對老師用參考書教學感到厭煩，學習的欲望越來越低，不喜歡的科目也越來越多。她說她不明白，既然大多數人都知道**運動會增加大腦的血流量，使腦神經活化，對學習有益處，防止負向情緒產生（因為運動會產生多巴胺，使心情變好），同時有效降低壓力**，為什麼反而不讓高三學生做運動，把體育課調來上英文、數學？她說每天十五小時坐在書桌前，有讀沒有進，浪費時間。但是只要站起來動一下，就馬上被老師罵：「已經高三了，還不趕快去讀書。」好像是讀書的機器。她問：「當今日的我只剩下動物的本能，空洞的活著，像個行屍走肉時，活著還有什麼意思？」

這封文情並茂的信，看了讓我悚然而驚，我們該怎麼幫助這些可憐的學生呢？我想或許可以這樣做：第一，讓學生知道，考上了大學，沒有人管你高中念什麼學校；拿到了博士，沒有人管你大學念什麼學校。出了社會以後，老闆在乎的是你真正的能力，學歷在一開始求職時會有幫助，但是現在大學大量增加的結果，加分的程度有限了。我們實驗室就喜歡用自己會動手做的研究生。**許多成功的人物都不是明星學校畢業的**。

第二，學習最重要的是情緒和動機，越緊張越讀不下，還不如起來走一走，動一動，等心情放鬆再回去念。人在緊張時會產生壓力荷爾蒙，我們的身體會馬上從原來的副交感神經變為交感神經主導：心跳加快，血液從大腦流向四肢，準備逃命，腦中一片空白，這時讀書就沒效果了。**做一件事，如果把成敗掛在心中，這件事通常是做不好的**。

第三，運動對三年級的同學來說，甚至比數學、英文更重要，因為只有在身體處於最佳狀態時，讀書才會事半功倍。如果**運動可以抒解學生壓力，增進學習效果**，老師為什麼不讓學生動一動呢？讀書絕不是坐在書桌前就是在讀書。所以體育課千萬不能挪來補課，不但不能，還應該讓三年級學生每上兩節課就做一下課間操，舒活一下筋骨，清醒一下頭腦。

至於越念越不想念，這是「飽和」（satiation）的作用，一直看同一本書會感到厭倦，大腦的記憶力會下降。在實驗中，如果一直給學生看花卉名稱，請他們去記，連看三十幾個以後，記憶會下降；這時如果改換家具名稱，學生的記憶又會好起來。所以，不要一直念同一本書。最好看跟主題相關的課外書，因為殊途同歸是最好的理解方式。**從不同的角度來看同一件事情，最能使我們窺到全貌**。

另外，學習不一定要在教室中發生。雲林有位教高職夜間部後段班的老師，為了學生學習，想出了一些好點子，他把打瞌睡的全班學生帶到操場，做考卷接力賽，即第一個人寫完後，立刻飛奔將考卷和筆交給第二棒，第二棒做完後，立刻交給第三棒，最後看哪一組最早回到終點，得勝者老師請吃披薩。這時全班學生都醒來不打瞌睡了，焦急的解題，快步的飛跑，很快就把該學的學完了。

所以，對已經彈性疲乏的學生，老師可以想些別的方法來幫忙，但是最終要告訴孩子，**人生很長，沒有輸在起跑點這回事**。**放寬心，天地自大**。

學習力

《成績單》：一則杯葛分數的故事

在捷運上，一位母親憤怒的對她兒子說：「你為什麼總是考得這麼爛，補這麼多習都沒有用，笨得跟豬一樣。」她連罵了三次豬，兒子氣不過，就頂回去說：「我考不好，妳說我是豬，我考得好，妳又說我是猴子稱大王。你究竟是我媽還是動物園園長？」旁邊的人都忍不住笑起來。站在我旁邊的同事，從背包裡拿出一本書《成績單》，對我說：「這是我兒子叫我看的，我已經看完，你要不要也看一下？」我回家把它看完後，想到或許我們也該來發動一個杯葛分數的運動。

這本書的故事大意是說：大人都以分數來評量孩子，成績好，就是好學生，不管她平時是什麼行為；成績不好，就被人看不起，在班上成為被嘲笑的靶子。諾拉是個高智商的孩子，不忍看到同學史蒂芬因為成績不好，整天被人捉弄，所以她就故意考不好，希望老師和同學不要以分數取人。當然，一個好學生，功課突然一落千丈時，會引起校長、老師、父母的關心，故事發展到最後，全班杯葛考試，抗議學校考試內容都是記憶式的，只重視分數。社會科考：「經濟大蕭條開始時，美國的總統是誰？」學生就答：「唐老鴨」、「貓王」，於是全班考零分。最後事情大條了，督學來了，全部的家長都來了，三堂會審，審諾拉和史蒂芬。書中有幾段話很發人深省。

臺灣很多老師以考倒學生為原則，越是明星學校，題目越是出得難，常聽到學生說能考個七十分就不錯了。但是考試的目的不是想知道學生學到了什麼嗎？考得很難會失去區辨力，只會使學生感到挫折而已，並沒有任何好處。我們一定要記住：「**考試只是評量的一種方式，不是唯一的方式，更不是最好的方式**。」公平和公正有差別，叫老鷹和小鳥一起飛是公正，但不公平。

諾拉說得好：「有件事大部分學生都沒有說出來，就是成績差常讓他們覺得自己是笨蛋，但這不是真的。好成績會讓另外一些學生以為自己很優秀，可是那也不是真的。所有學生都開始競爭、比較，聰明的學生覺得自己更聰明、更優秀，十分高傲自負；普通的學生覺得自己很笨，好像一無是處。而本來應該幫忙孩子的家長和老師並沒有幫上忙，只是增加更多的壓力，還製造越來越多的考試而已。」這段話把很多孩子的心聲講出來了。

幸好不是所有的老師都贊同這種方式，有個管理圖書館的老師，就不贊成學校要她依學生運用圖書館的表現打成績。她說圖書館不是為此而存在的。其實閱讀課要打成績也跟上圖書館要打成績一樣荒謬，閱讀的目的不是寫報告，它把一件很愉快的事變成負擔了。難怪有個學生說，中國人最大的本事就是把所有愉快的事都變成功課。

中國人常常只重視最後的結果，不注重過程。其實，**學習是最不能只看「最後結果」（end result）的一件事**。因為學習跟神經迴路連接和固化（consolidation）有關係，這兩件事都需要時間來穩定。我們的學習曲線不是一條直線，它是貝殼狀的，學一陣子後，上升一個階段；再一陣子，又上升一個階段。它不是立竿見影的，所以不能性急。**每個人學習的速度不同，定期的考試對學習慢的人就不公平，他不是笨，他可以學，只是需要的時間比其他人長而已**。

分數的迷思已經殘害了很多孩子身心的健康，是該停下來檢討的時候了。

零時體能運動的啟示

一位外國教授來臺訪問，告訴我在飛機上看到鼎泰豐的小籠包廣告，說每個包子都有十八個褶，他很好奇，人的手怎麼能做得跟機器的一樣？所以我就選擇了鼎泰豐為他洗塵。在等待上菜時，他告訴我，他覺得臺灣學生現在比過去胖，他十年前曾應國科會之邀來臺講學，覺得那時學生胖的不多。他接著告訴我，多年前他們曾在芝加哥附近的一所中學做過一個體能的實驗，效果非常好，學生既減了肥又增加了學習效果。

這個計畫叫「Zero Hour PE」（零時體育課），這個「Zero」（零）是指還未正式上第一節課之前的體育課。學生一早七點到校，先跑操場、做運動，再開始上課。除了運動，這門課還教孩子如何監控自己的健康，培養正確的健康習慣。最主要是他們希望讓孩子看到運動能改善情緒，不會動不動就發脾氣，因此可以改善人際關係，使孩子交到知心朋友。青春期的孩子最重視的是「人氣」，所以就肯繼續運動下去，一旦養成習慣，不運動會不舒服之後，大人就不必操心了。孩子不但可以少生病，還可以節省許多慢性疾病，如：憂鬱症、失智症所造成的社會成本。同時有好的體魄才能把所學的知識、技能長久的應用出來。

這位教授說一開始時，家長很反對，怕運動完累了，孩子上課會想睡，想不到運動完，學生反而更清醒，因為**運動時促進多巴胺、血清張素和正腎上腺素等神經傳導物質的釋出，會使情緒正向、精神亢奮、心情愉快**。一學期下來，這組學生的閱讀、理解能力比正規上體育課的學生高了百分之十，而且因血氣方剛、一時衝動的打架事件也減少了。在全美百分之三十的人過胖時，他們學校只有百分之三。所以現在家長不再反對，反而早早把孩子送來學校運動，現在美國已有很多州在推動這個「零時體能運動」。

研究者也發現在史丹佛成就測驗（Stanford Achievement Test, SAT）中，那些體能好的學生數學勝過全體的百分之六十七，英文勝過全體的百分之四十五。二〇〇四年由小兒科醫生、認知科學家等組合的團隊對學童健康做了一個評估，發現一週只要運動三到五次，每次三十到四十五分鐘，就能大大提升孩子記憶、注意力和教室行為的正向效果。現在治療過動兒所用的利他能（Ritalin），是藉由刺激多巴胺的分泌來達到抑制注意力不足和過動的目的；憂鬱症者所服用的百憂解（Prozac）則是阻擋血清張素的回收，使它們多些在大腦中。假如運動可以達到同樣藥效，又何必服藥呢？因此現在醫生很鼓勵病人用運動的方式來減少藥物的服用，甚至替代它。對於現在教室中越來越多的注意力缺失和過動學生，這不失是一個減少父母憂心、減輕老師壓力的好方法。

看到運動對學生學習和行為的好處，學校體育課節數不但不該減少，還應該增加才對。**運動絕對比吃藥好，我們應該讓孩子用最自然的方式來提升他的體能與學習效果。**

學習力

一本書改變了一個孩子

六月是畢業的季節。

在走廊上看到一個穿著學士服的男生在徘徊，頭上冒著汗卻不肯把學士服脫下來，心中暗嘆：「人都是到要離開了，才會珍惜。」想不到他一看到我，立刻迎上前來，叫道：「老師，你不認得我了嗎？」我看了看，今天這樣穿戴的學生太多了，真的不認得，只好誠實的承認。他很驚訝的說：「我就是那個你不准假，說哪有每天死人的○○○呀！」他一講，我想起來了。

我的課不准學生無故缺席，因為學生能到國立大學來上課不是只靠父母繳的學費而已，還包括很多其他納稅人的血汗錢，才能讓一個學生使用到很多儀器、有很多老師來教他，無故缺席會對不起替他繳學費的納稅人。這個學生一學期請了三次喪假，到第三次時，我不准了，要他拿死亡證明書來。他才告訴我，他從小到大已經參加過三十次以上的葬禮，族人都短命，又都牽親帶戚，所以有族人死亡，他一定要回去跟亡者說最後的話，同時族裡青壯者不多，也需要他的幫忙。問他為何死亡率高，他苦笑說山上沒有工作，除了務農，沒有生財之道，族人都是念完國中就下山去打工。最近景氣不好，失業的都回來，心情不好就借酒消愁，喝醉了開車就容易出事。不過這次請假是因為他的叔叔死於肝硬化，他嘆著氣說：「這是原住民的宿命。」

我聽了很傷感，又看他相信宿命論，便拿了一本《一個印第安少年的超真實日記》（木馬文化出版）給他看，這本書在美國是暢銷書，作者的經歷跟這孩子很像。我跟他說：「你可以加分進來，但是不可以加分出去，沒有什麼叫宿命，『造命者天，立命者我』，你要像書中的孩子一樣證明給自己和人家看，原住民不是笨，只要有相同的機會就會有相同的表現。你一定要憑自己的本事念到畢業。」

我跟他說四十年前我去美國留學時，所處的情境跟他一樣，恐怕還更差，因為我們沒有錢，英文又只有中學學的六年而已，但是我們都在他鄉異地生存了下來，還執了教鞭。可見**事在人為，人只要沒有退路便能成功，千萬不可自暴自棄**。我叫他好好看這本書，他會在書裡看到他現在所面臨的一切，所謂不可抗拒的「宿命」，跨了半個地球，美國的原住民孩子也經歷到，但是**貧窮不可怕，窮而無志才可怕**。我叫他一定要找出人生的目的來。

後來他寫了一封長長的電子郵件來，說當他看到作者哀求父親載他帶生病的小狗去看醫生，因為小狗口吐白沫、眼睛翻白，父親聽了二話不說，返身進屋拿了一把槍出來時，他放聲大哭，因為他的狗也是這樣安樂死的。當人都沒有錢看病時，哪裡顧得到狗呢？他開始認同主角，融入書中情節，相悲亦悲，相喜亦喜，最後要求我再推薦給他一本書。

結果，他就這樣走入了閱讀的世界，書本打開了他的心胸和眼界，人生從此不一樣了。所以他今天特地穿著學士袍來讓我看，他憑著自己的力量畢業了，同時告訴我他認同了他的原住民身分，也接受了上天對他的磨練。

我送走他，回到辦公室，對這本書一鞠躬，感謝這本書改變了一個孩子。閱讀永遠是給孩子最好的禮物，它的力量永遠不可忽視。

學習力

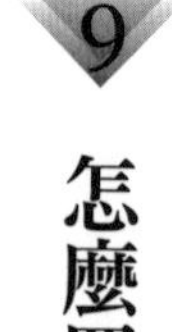

怎麼罰，學問大

數年前在報上看到有個國二學生因為沒寫作業，被老師罰請全班同學吃糖，他沒有錢買，又不敢跟家裡講，便去超商偷，結果被逮到，上了報紙。

自從不准體罰以後，如何懲罰學生，既要達懲戒的目的又不失教育的真諦，是個頭痛的問題。我認為罰勞役，如：把教室玻璃擦明亮、把學校樓梯仔細打掃乾淨（很多校園中沒有落葉，但是樓梯卻很髒）等等，是個可行的方法。因為灑掃本來就是古人教育孩子的方式之一，兒童進私塾就是先從掃地學起，而且掃地比罰站、罰寫好，因為罰站對社會沒有貢獻，只是浪費了那個孩子的時間（面壁罰站的孩子很少在思過，如果思，也是在思別人的過）；罰寫更會使學生痛恨作業，原本就是為了沒寫作業而被罰，再罰寫就更加痛恨作業了。

透過實驗發現學習跟情緒和動機有關，清掃環境的好處是在清潔的環境中情緒比較好，學習的效果也會比較好。這個實驗做法是給學生一根蠟燭、一盒圖釘，要學生想辦法讓蠟燭站在牆上。在解決問題之前，先給一組學生看一支喜劇短片，另一組是看教學短片。結果看喜劇的那一組有百分之七十五的學生想到把圖釘倒出來，用兩根圖釘把圖釘盒釘在牆上，再把蠟燭立在圖釘盒上，完成任務；而看教學影片的那一組只有百分之二十的人想到解決的方法。

罰請吃糖不好的地方是沒有罰到孩子，卻罰到了父母親。因為孩子還不會賺錢，用的是父母的錢，父母的血汗錢沒有用到對的地方，可惜了。而且罰請吃糖對孩子來說不痛不癢，下次還會再犯。若是像這個孩子沒有錢，又不敢跟家裡講，逼上梁山時，就只好去偷，犯下了一輩子遺憾的錯。

其實，零用錢是把雙面刃，有利有弊。有人贊成給孩子零用錢，可以從小教他經濟的概念，但是孩子常會認為我的零用錢就是我的錢，我要怎麼用是我的自由，父母管不著，例如：朋友的女兒用零用錢去買言情小說來看，她母親把書丟掉禁止她看，女兒認為母親毀壞她的東西、侵犯她的權益，竟然揚言要去告母親。有人做家事給錢，但這會養成孩子沒錢就不做家事的錯誤心理，忘記了家是大家的家，住在裡面的人都有責任把它清乾淨。也有人是孩子考一百分給錢作為獎勵，雖然錢是有效的動機驅力，但這也會給孩子錯誤觀念，不給錢就不念書，以為念書是為父母念的，不然為何考好要給錢呢？

這件事最嚴重的警訊是孩子在學校的事不敢跟家裡講。我覺得**沒有人可商量的孩子是天下最可憐的孩子，他會覺得孤單無助，通常這是孩子最需要大人的時候，大人應該指引他正確的解決問題方法，告訴他是非對錯**。教導孩子是父母的責任，責無旁貸。

這件事，老師、家長和社會都要檢討。老師需要知道什麼是最有效的處罰方式；父母需要反省管教方式是否得當、為什麼孩子有事不敢跟家裡講；社會需要反省為什麼長到十三歲的孩子還不知道偷竊的嚴重性，誤以為做壞事不一定會被抓到，可以僥倖，這個社會是否沒有給孩子一個正確的價值觀？

學習力

10 一點巧思，無趣變有趣

有一天在《聯合報》副刊上看到任祥女士寫的一篇好文章，她說過年時，任、姚（她的先生是著名的創意設計大師姚仁喜先生）兩家聚餐，人口眾多，排位不易，她便在客人進門時，請他自抽對聯的一半，如「天增歲月人增壽」，然後請他到酒席上去找「春滿人間福滿門」，找到了，就是他的位子。這個法子非常好，一方面解決了排位的問題，另一方面增加了孩子春聯的知識。中國人請客，誰應該坐哪裡是個大學問，安排不當會得罪人，一頓飯，入席通常要去掉半個小時，實在浪費時間。現在讓機率去安排，誰都沒話說，真是巧思。同時它讓孩子在不知不覺中，學到了中國對聯之美，真是寓教於樂，一舉兩得。

大人用點巧思常可以把無趣變有趣。美國復活節時，學校都有找彩蛋的活動。我孩子在小時候很喜歡找，但是長大一點，智慧漸開之後，便覺得找彩蛋很無聊，尤其彩蛋是白煮蛋，不好吃，他們常常找到了就隨手扔，不珍惜。後來老師看到了，便把它變成海盜尋寶：他們先在班上讀史帝文生（Robert Louis Stevenson）的《金銀島》（*Treasure Island*），然後全班假裝是海盜，依老師畫的地圖去尋寶。老師也特意把地圖的紙邊用火柴燒焦，使它看起來很像古老的地圖，增加尋寶的真實感。他們找到的彩蛋不許扔，帶回教室，老師教他們做魔鬼蛋（devil's egg），即把蛋殼剝去，對半切開，蛋黃挖出來，加上美奶滋和鹽，拌勻後放回蛋白中間原來的位置，這時白煮蛋就有味道，孩子就喜歡吃了。

我看到同樣的一件事，**大人只要稍微用點心，就能化腐朽為神奇，把孩子的興趣帶起來，同時讓他在做的過程中建立自信心，覺得自己很能幹，以後就更願意學新的東西了**。中國人說「天地君親師」，老師的地位在五倫之中，僅次於親，實在是很對。孩子需要教，不教不成材。前幾天，我在堂哥家過年，看到姪兒打開大瓶可樂之後，沒有馬上把蓋子旋回去，堂哥就說：「液體的東西，蓋子要立刻旋回去，因為覆水難收，萬一打翻就撿不起來了。」剎那間，我彷彿看到我父親的影子，因為我小時候，父親也是說同樣的話，而且如果是粉狀的東西，在裝罐時，底下一定要墊一張紙，因為粉也是撿不起來的。墊張紙，裝完後，把紙捲成漏斗狀，輕拍，原來漏出的粉就全部回到罐子中，一點都不浪費了。這些看似小事，其實都在教孩子做人做事的道理，凡事要未雨綢繆，永遠要想到「萬一」的情況。

堂哥的話顯然來自我祖父，因為堂哥生在印尼，跟我有很不同的成長環境，但是叔叔和父親都受到祖父的教誨，他們又把先人的智慧透過日常生活的教導，傳到下一代。過去常聽人說大戶人家的孩子走出來不一樣，其實它不是別的原因，應該是父母不必忙衣食時，比較有時間教導孩子生活的禮儀和做事的方式。教多了，聽進去了，自然做出來的行為就不同了。

最近很多父母因為新流感防疫假被迫休假在家，不妨利用這個機會陪孩子玩，跟孩子談談自己的人生經驗。孩子是我們一生最重要的投資，任何可以教育他的機會都不要放過。

學習力

用運動提升學習力

在一所山地國小，看到大清早校長帶著全校學生跑操場，校長說：「我們布農族是獵人，短小精壯，沒有胖的，現在孩子這麼胖，會讓祖先蒙羞。」所以他要孩子鍛鍊體魄，上、下午都各跑操場三圈。他說一開始時家長反對，早上本來就叫不起來上學了，再跑三圈操場，回到教室豈不是正好睡覺？結果恰恰相反，孩子跑完之後精神亢奮，上課反而專心了。

我聽了很高興，因為他的話驗證了實驗上的發現：運動可以促進血清張素、正腎上腺素和多巴胺等神經傳導物質的分泌，尤其多巴胺和血清張素跟我們的情緒有直接的關聯，運動完的人臉都是溫和的，沒有愁眉苦臉的。運動使學生情緒改善，不會動不動發脾氣，減少班上學生衝突。二〇〇〇年杜克大學的研究發現讓憂鬱症的病患大量運動，跟服用樂復得錠（Zoloft，一種抗憂鬱症的藥）的效果一樣好。

在運動時，心跳加快，快速運輸帶氧的血液到大腦去，使思緒清楚，學習效果更好。最主要是科學家發現，運動會增加掌管記憶與學習的海馬迴中一種幫助神經生長的蛋白質BDNF（brain-derived neurotrophy factor，腦衍生神經滋長因子）的活化，它會帶動幾種荷爾蒙的分泌，如：第一類型胰島素生長因子（IGF-1）、血管內皮生長因子（VEGF）和纖維母細胞生長因子（FGF-2），它們會和腦衍生神經滋長因子合作，啟動學習的分子機制，並促使幹細胞分裂。

腦衍生神經滋長因子會幫助大腦增加第一類型胰島素生長因子，啟動神經元，製造出跟記憶有關的血清張素和麩胺酸，這兩種神經傳導物質會刺激更多的腦衍生神經滋長因子受體出生，增加神經元之間的連接，形成長期記憶；血管內皮生長因子會在大腦中建造更多的微血管，因應運動時細胞對血液的需求；纖維母細胞生長因子在運動時會大量分泌，促進組織生長、增加記憶的長期增益效應。

當我們年紀漸大時，這三種生長因子和腦衍生神經滋長因子會自然下降，神經新生的情況也慢慢減少，但是假如我們持續不斷運動，就能增加這四種生長因子的含量，即可減緩老化。所以現在歐美各國都盡量鼓勵老人運動，因為可以節省阿滋海默症、帕金森氏症、憂鬱症及老人失智症等慢性疾病的社會成本。我去德國開會時，看到瑞典的研究者追蹤七十五到九十五歲的老人，發現只要每天運動四十五分鐘，他們大腦中白質（神經纖維）的下降率就馬上變得平緩，非常令人震撼。我們問：瑞典苦寒，一年九個月冰天雪地，老人怎麼運動？原來他們每個社區都有溫水游泳池，游泳是最適合老人的運動，不像跑步會增加膝蓋軟骨的負擔。

運動提高人的警覺性、注意力和動機，使心智最佳化，還能促進神經細胞的連接，幫助接收新的訊息，並產生新的神經細胞以接受更多新的訊息，使思想靈活，有創意出來，真是好處多多。

臺灣各個小學的運動設備都非常老舊，不時發生運動受傷，甚至死亡的事情，或許教育部可以撥一筆經費，用運動把臺灣學生的學習提升上來。

學習力

很多人不解，政府美意要讓所有中小學的學生吃免費的午餐，為什麼有這麼多人不領情，上網反對？在去過一些離島和偏鄉的學校之後，才知道美意不一定會得到感謝，在善門大開之前，要先評估優先緩急之序，並顧到社會的公平與正義。例如，我看到離島有一所國中的圍牆搖搖欲墜，一段新，一段舊，一段傾倒，好似京戲中乞丐的百衲衣。校舍是海砂屋，龜裂漏雨，廚房也是，不敢想像下雨天燒出來的營養午餐如何吃。

在政府全力推運動，科學家也發現運動對學生學習的效率及教室秩序的維持有幫助的時候，那所學校的體育館在多年前被颱風吹毀後就無力再建。離島風大，夏天日晒炎熱，冬天寒風刺骨，所以有能力的家長紛紛把孩子轉到設備較好的學校越區就讀，剩下來的是經濟能力不許可的弱勢孩子。這些孩子的運動表現非常耀眼，在沒有操場的情況下，拿過標槍、鐵餅的冠、亞軍，個個黝黑、善跑。這所學校沒有跑道，跑道在多年前整修過後，因無錢維護，現已看不到了，變成一片大草原，雜草蔓生，只差風吹草低見牛羊，真是令人嘖嘖稱奇。

我看到學生在草原上打壘球，但是因草地不平（雲雀做窩），有許多凹洞，學生搶壘時會摔跤而腳踝受傷，老師說上體育課是「危機四伏」。但是因為學生人數只剩四十五人，政府認為人數太少，不符成本效益，所以學校申請不到錢整修。因為設備不好，學生會流失，學生流失就越不可能拿到錢改善設備，惡性循環下去，就變成現在這個樣子。

問題是這四十五名學生也是中華民國的國民、我們未來的希望，為什麼他們的希望就要比別人黯淡呢？諷刺的是，我從學校出來經過該島的地方法院，看到七億二千萬蓋的巍峨大廈，但是裡面只有七十九名員工使用而已，兩相比較真是天壤之別。

在新聞媒體上也看到苗栗的老師讀者投書，希望政府把全面補助中小學營養午餐的錢拿一些來修繕學校設備。他們學校三個籃球場都壞了，學生打球會受傷、禮堂漏水、圖書館沒書，他們也沒有室內體育館，下雨天就只好自修。其實這個現象在所有偏鄉的學校（所謂「不山不市」，不是山地、不是都市）中都有看到，它不是例外，而是常態。

當大都會的孩子把雞腿便當整盒丟到垃圾筒去時，為什麼我們該替他們出午餐錢呢？錢要用在刀口上，**給最需要的人一毛錢勝過給富豪十塊錢，前者會終身感激你，後者不屑一顧**。為什麼不把給富人的午餐錢拿來替學校好好蓋一座操場或跑道呢？「彼亦人子也」！在分配資源時，請多替偏鄉、離島、山地的孩子想一想，給他們一個機會吧！

學習力

13 動腦才能有志竟成

有個學生告訴我，她改名字了，因為心想事未成，年頭許的願到年底了都還未實現，所以去改運。我很訝異她的天真，**「心想事成」是祝福的話，在真實世界是「有志竟成」才會成功，就算有天命，沒有盡人事，天命也不會實現**。「造命者天，立命者我」，禍福是一枚銅板的兩面，禍兮福之所倚，福兮禍之所伏，不然怎麼會有「否極泰來」、「樂極生悲」的成語呢？

在校車上和同事談起這件事時，大家都很憂心現在電腦的虛擬世界對學生真實生活的影響。很多學生已經二十歲了，還不了解麵包不會從天上掉下來，必須辛苦耕耘才有收穫。他們對犯了錯好像也不在乎，不去追究為什麼錯，所以許多錯是一犯再犯。有位老師說：現在的孩子越來越不熱中學習，覺得書有看就好，不很在乎有沒有了解書中的意思。老師教什麼就學什麼，老師不教自己也不會去找來看，考試也不求高分，及格就好。凡事要求速成，最好像《傑克與魔豆》中的魔豆一樣，一灑下去，種子立刻發芽長到天上，一蹴就登天了。現在電腦又可以合成圖片，以假亂真，益發使學生分不出什麼是真、什麼是假，連價值觀都混亂了。這些話聽了令我膽戰心驚，因為我已看到這種不求真、不追究的態度反映在做學問上了。

臺灣坊間有許多迷思，受害的不乏高級知識分子，一個原因是不求真，隨便相信別人的話，自己不會去反思求證，日本七田真「超右腦革命」的論點能在臺灣廣受歡迎，就是一個很好的例子。他所引用羅傑．史培利（Roger Wolcott Sperry，一九八三年諾貝爾生醫獎得主）實驗的受試者是癲癇的病人，不是正常人，也不是兒童。史培利在一九七六年把藥物不能控制，也無法開刀切除放電部位的癲癇病人的胼胝體剪斷，使左右腦半球各自獨立。當病人發作時，身體的一邊會抽搐，但因為胼胝體這個聯結兩個腦半球的橋斷了，電流過不去，所以另一邊大腦是好的，於是就不會有倒地大發作。史培利用這個方式控制癲癇。七田真沒有了解實驗的做法，隨便亂引申，加上一般民眾對大腦不了解，才會演變成現在坊間流行的左腦語言、右腦圖形的「超右腦革命」謬論了。

其實右腦有語言，只是不會說話而已，因為發聲的語言中心在左邊，右腦是看得懂字的。而且我們的訊息並非左眼傳送到右腦，而是左視野傳到右腦去處理；左眼與左視野完全不同，左視野是兩個眼睛的右邊投射出去所看到的地方。真是「失之毫厘，差之千里」，這種以訛傳訛的結果使我們的孩子受了無謂的罪，右手寫字就已經寫得不好看了，還要用左手寫；兩隻眼睛看都看不清楚了，還要每天戴著眼罩做獨眼龍，用一隻眼睛看。

葛拉威爾（Malcolm Gladwell）在《決斷2秒間》（時報文化出版）中說：要成功需要一萬小時的努力，如果一天工作三小時，需要持續做十年才有可能看到成果。不努力，只去改運，豈不是緣木求魚？面對在哆啦A夢世代長大、以為什麼事都只要電腦重新開機就會把前面的一筆勾消的孩子，我們該怎麼教呢？

14「窗明几淨」大有關係

一位年輕的校長愁眉苦臉的跟我說，他最近調到一所偏鄉的小學，八月一日上任時，差一點沒有被學校附近的穢氣薰昏。偏鄉人口少，大片的地在養豬、養雞，沒有清洗時臭氣薰天，他上班第一天就頭痛的回家了。他問臭氣對孩子學習有影響嗎？

嗅覺是提取記憶最強烈的一道線索，果蠅在有香草味道的房間被電一次後，下次會避開有這個味道的房間；美國有位越戰的退伍軍人考進了醫學院，念得很不錯，到醫院實習時，一切都好，後來輪調到外科，外科醫師通常會用電燒血管以止血，他走進去時，聞到開刀房慣有的人肉焦味，一剎時，越戰殺戮現場所有的血腥回憶都回來了，他捂著臉奪門而逃，整個人為之崩潰，只好休學。

嗅覺是五種感官中，唯一不需要經過中途站（下視丘）直接到達終點（杏仁核）的一個感官，而杏仁核是大腦中掌管情緒的中心，它產生情緒並製造情緒記憶，這是為什麼嗅覺是提取記憶很有效的線索。別的感覺細胞都有保護：觸覺的受體有皮膚保護，眼睛的受體有角膜保護，聽覺的受體有耳膜保護，只有嗅覺受體是暴露在外，因此它也最敏感。澳洲有個原住民可以用嗅覺分辨人，有一次有人進入他的房間偷東西，他憑著房間中一些淡微的人體味道，抓出小偷。

嗅覺與情緒有直接的關係。有個實驗：在百貨公司的女裝部噴上玫瑰的香味，結果發現銷售量增加了百分之六十；男裝部則噴的是肉桂加蜂蜜的香味，銷售量也增加了一倍。人聞到香的味道時會不由自主的微笑，所以曾經有人在紐約地鐵站噴巧克力餅乾的味道，發現推擠、打架等暴力行為減少了很多。

人非常容易受情境的感染，環境亂七八糟，學生的行為也就亂七八糟了，好像人家不在乎他，給他一個豬的環境時，他也不看重自己，不知不覺的自暴自棄，最後就墮落成豬了。雖然人的感官有「入鮑魚之肆，久而不聞其臭」的現象，但是環境骯髒對學生的情緒是不利的，而情緒跟學習有直接的關係。**古人說「窗明几淨」，有明亮乾淨的教室，學生心情會好，學習動機會強，記憶效果會增加。**

乾淨、整潔是美育的一部分，美育在臺灣一向被忽略，但是它其實跟身心健康有極大關係。希望每位家長和師長都捲起袖子，給孩子打造一個乾淨、安靜、心靜的學習空間。

學習力

15 老師不是經師，是人師

一八九〇年，美國費城有一位醫師對同樣的毛病開了兩張不同的處方：對有錢人，他說：「不要每天躺在床上呻吟，起來，一天去清馬廄兩次，少喝酒、少吃肉，以免病情惡化。」對生活拮据、三餐不繼的麵包師傅，他說：「在空氣流通、日照充足的房間盡量躺著休息，多喝紅酒以增加血液的循環，多吃紅肉以增加體力，這兩者對發揮藥效很重要。」

為什麼對同樣的病會開兩種不同的藥方呢？因為兩人家庭環境不同。早期的醫師是到病人家中看病的，他去到麵包師家中一看，家徒四壁，又溼又暗，空氣不流通，難怪病人臉色蒼白、身體瘦弱。所以他叫病人多休息、多吃肉、多喝酒、多晒太陽。但是對有錢人就不一樣了，要他起來多動、少吃肉、少喝酒。這個例子有趣的地方在看病跟辦教育一模一樣，都得因材施教才會有效。

我小時候，老師是有家庭訪問的，家庭訪問是每學年的一件大事，父母會把家中打掃清潔，還會去市場買糕餅當點心。老師只有透過家庭訪問才會了解孩子生長的環境，才能知道為什麼這個孩子在校跟別人有不同的反應，才能適時伸出援手幫助孩子。假如花蓮某國小的老師有家庭訪問過那個原住民的孩子，她就不會狠得下心把孩子屁股打成紫色的，使孩子看到跟老師留著相似髮型、差不多身材的女生就恐懼到精神崩潰。人不能挑父母，對家境貧寒的孩子不但不應罰他，還應多給一份關心。

現在社會風氣敗壞，家庭功能瓦解，孩子更需要老師的關注。有一個被朋友出賣、受冤屈坐牢的受刑人告訴我，他忍不下這口氣，幾次想自殺，陽世報不了仇，到陰間去等著他。但是他的老師去探監時告訴他：「世上只要有一人愛你，你就不該去死。」他活了下來，現在獄中自修準備考大學。我問這個老師為什麼會去探監？老師說他曾經去這個孩子家做過家庭訪問，他自己來自佃農的窮苦家庭，但還不曾看過比這孩子更慘的家庭環境。他了解孩子本性不壞，因家貧，營養午餐費繳不出來，被以前的老師蹧蹋，罵他「寄生蟲」，同學多是勢利眼，看老師不喜歡他便更加捉弄他，使得這個孩子轉向幫派尋求安慰。等他接手這個班級時，孩子陷入歧途已深，為時已晚。但他沒有放棄這個孩子，所以年節都會去探監。

我聽了很受感動，的確，**只要有一個人關心，人就活得下去**，那種世上無人關心、無人在乎，這個世界多我一個不多、少我一個不少的錐心之痛，非過來人很難體會。

現在不良少年這麼多，每天冷血肇事，焉知他們小時候不是一個可愛的寶寶？孩子走到犯罪這一步，周邊的大人都有責任的。

盼望每天跟孩子接觸的老師能多花一點時間了解孩子為什麼不交作業，因家庭狀況而做出不同的處罰。**公平不是每人各一大板就是公平，就像生病不是每個人開同樣的藥方一樣。名醫不是看病而是看人，老師也不是經師而是人師。**

學習力

老師是最好的志業

最近去了一所偏遠小學，看到了「沒有不可教的孩子」這句話的實證。**天下事，只要用心，腐朽可以化為神奇**。

這個孩子從小跟著外婆在山裡長大，除了大自然，沒有什麼外在的刺激，進了小學連「不然」、「反正」等比較書面一點的用語都聽不懂，不會數數，更不會寫1234。最糟的是坐不住，老師說要他坐下只有用繩子綁著才有可能，但是即使綁著，一不留神他連椅子也一起搬起來跑到操場去。因此，這孩子被貼上「過動、注意力缺失、智障」的標籤，送到資源班去上課。

他每天都來上學，因為上學有飯吃。但是他連吃飯都坐不住，拿著碗亂跑，每個人都放棄了他。後來換了一個新校長，校長發現這孩子兩隻眼睛滴溜溜的轉，很伶俐，動作很快，懷疑他不是智障，而是文化刺激不利的弱勢孩子，於是開始教化他。每天早上把他叫到校長室來，替他洗手洗臉後，就把他抱在身上讀書給他聽，讀完一本書就可以吃三塊餅乾，如果讀書時不扭動，餅乾加倍。孩子很快就學會了安靜坐在校長身上念書，一天念一點，時間慢慢拉長，他就坐得住了。

校長用這個方式逐漸把孩子帶進閱讀的領域，他詞彙豐富了，上課比較聽得懂，便不像以前那樣好動。校長又想辦法彌補他文化刺激的不足，帶他去臺北坐捷運、搭公車，告訴他車子有火車、汽車、大卡車；帶他去動物園，讓他看到動物有獅子、老虎、大象，不是只有山裡那些猴子。她用鼓勵的方法讓這孩子喜歡學習，現在他五年級已經回歸主流班，功課各方面都不遜色了。

在教育上有一句話："If the learner has not learned, the teacher has not taught." 假如孩子沒有學會，是老師沒有教對，沒有花時間找到孩子的興趣，若從動機切入，一定可以把孩子教會。許多孩子小時候不曾安靜在大人身邊坐過，所以上學了也定不下心來、坐不住，改正他最好的方法就是親子共讀。親子共讀的另一好處就是使孩子專注，集中注意力在做一件事上。**孩子喜歡重複念同一本書，即使已會背了還是要再念同一本書，因為每次念時，孩子的感受不同，他每天的知識都在成長，因此每天在看同一個故事時，理解也不同。**

做老師最高興的就是看到孩子每天有進步，它使老師願意無怨無悔付出。一個孩子心智的啟發不能用錢衡量，我們不知道什麼時候這個孩子會發明醫治阿茲海默症的藥或癌症的藥，世界會因為這個孩子而不一樣。這個孩子會因為老師而不一樣，這是做老師最大的成就，也是最好的回饋。

臺灣經濟能起飛，是因為我們有很多這種無私奉獻、春風化雨的老師，在腳踏實地的培育人才。雖然現在教師節不放假了，但是老師還是最好的志業。**世界上沒有哪一種報酬有像做老師這樣，只要愛他、欣賞他、鼓勵他，他就像醜小鴨一樣源源不斷的給你欣喜的回饋。**

學習力

17 青春期是閱讀的最好時機

青春期對很多人來說，是個青澀難捱的生長期。一九九八年美國心理學會喬治米勒獎（George A. Miller Award）的得主，暢銷書《教養的迷思》及《基因或教養》（均為商周出版）的作者茱蒂・哈里斯（Judith Rich Harris）說：「如果人生可以重來過，我希望跳過青春期。」

為什麼一個專門研究青少年發展的心理學者會不喜歡青春期呢？因為那是一段尷尬的年齡，半大不小，還不是大人卻已不是小孩，體內荷爾蒙大量湧出，使得情緒不穩定，身體開始變化，第二性徵出現。但是這些外表的改變都不及大腦內的改變，青春期時神經迴路密集的與別的迴路連接，心智開始開竅了，過去聽不懂的話，現在開始有意義了，知識開始組織成有條理的脈絡。所以青春期是最應該好好讀書的時候。

為什麼單挑閱讀呢？因為閱讀是把別人的經驗和智慧內化成自己的最快方法，人生有涯，而知無涯，**當我們無法去經驗世界上所有的事情時，最快的方式是透過閱讀，將別人的知識內化成自己的**。經過實驗證明，你所讀的書、你的經驗、你的一舉一動、一言一行，全都會在你的大腦中留下痕跡，影響神經連接。過去的記憶會決定未來的行為，這些思想與行為慢慢累積成你的人格，最後成為現在的你。

因為青春期是人格形成的關鍵期，所以外國各所學校莫不在這段期間要求孩子大量閱讀。以美國為例，他們的學校從八年級開始，社會科一學期要讀十四本書，學生要從書單中，每一個宗教、每一個種族，任選兩本書來讀。十四歲的少年血氣方剛，大腦尚未成熟，但是拳頭已足以打死人，若沒有在這個時候大量的閱讀使之產生同理心，學生會因一時衝動而做出使他後悔一輩子的事來。臺灣其實也該如此鼓勵學生廣泛閱讀。**青春期的確是讀書最好的時候，智慧已開，可以了解作者在書中所要表達的意思，大腦逐漸成熟，書中先聖先賢教導我們做人做事的道理，會逐漸形成我們的人生觀與價值觀**。

青春期必須大量閱讀的另一個原因是：青春期是「成年」的最後一個階段，過了青春期就被當作大人看待，法律要求你要為你的行為負責，不再因年幼無知而酌量減刑。因此，學生必須在脫離青春期的保護之前盡快的充實自己的知識，培養出關鍵性思考及獨立判斷的能力。

閱讀的另一個好處是它可幫助青少年抒解情緒。名作家黃春明先生曾說他第一次離家到臺北念師範時，因年幼又舉目無親，晚上常躲在棉被中哭泣，伴他度過這個期間的就是小說。他去圖書館大量閱讀各國的翻譯小說，看到《塊肉餘生錄》、《悲慘世界》等世界名著裡面主角的遭遇，再想想自己被人欺負又算什麼。就這樣，靠著書本抒解了他的心情，穩定了他的情緒。又因為大量閱讀，豐富的背景知識和從書中而來的人生體驗，使他後來成為臺灣著名的作家。

杜甫說：「讀書破萬卷，下筆如有神。」要寫得出好作品必須讀很多書，融會貫通後，變成自己的話寫出來就是好作品。作文一定要心中有話要說才有文可寫，如果胸無半點墨，那麼再簡單的題目都只好搔首交白卷了。其實國外培養孩子獨立思考能力的方式正是寫作。他們自九年級起，每週要交一篇作文，老師開始從作文中，訓練學生的邏輯思考、推理能力與表達的方式。這種訓練促使孩子用反證法去思辨，使他們不易受騙。

那為什麼不可以用實做經驗的方式取代閱讀呢？古人不是說「行萬里路」嗎？

除了上述生命有限的原因之外，另一個原因是我們對外界訊息的解釋是透過後天認知的解釋。先要有背景知識才能對事情有正確解釋，錯覺的產生就是因為大腦對視網膜送上來的正確訊息做了後天認知的調整。例如：三個人原來一樣大，但是如果在兩旁加上輻輳的線條，使第三個人看起來較遠時，遠的人看起來立刻就比近的人大了，因為大腦知道如果遠的人跟近的人一樣大時，遠的人應該要更大，這是過去經驗的結果，這個經驗的認知會強過我們的理智。因此，明知三個人一樣大，大腦還是會告訴你遠的比較大，錯覺就這樣產生了。許多室內裝潢的設計師就利用這個錯覺將小的空間使它感覺上較大。

因此，沒有背景知識，我們連應該看到的東西都會視而不見，這是為什麼我們請人幫忙找東西時，必須先描述那個東西的顏色和形狀。

在實驗上我們知道人看不見他不認得或不知道的東西，在同一時間，太多訊息同時進入大腦，只有具有意義的東西才會被我們注意到，才會進入意識界，只有進入意識界的東西我們才看得見。所以閱讀是教育的根本，而青春期是閱讀的最好時機。唐朝顏真卿說：「**三更燈火五更雞，正是男兒讀書時，黑髮不知勤學早，白首方悔讀書遲。**」希望所有的孩子懂得這一點，把握時光，莫負少年頭！

學習力

學習重在思考，不是記憶

最近陪一個晚輩去相親，吃完飯送女方回家時，看到她讀小四的姪兒在客廳沙發上讀《大英百科全書》。每個人都嘖嘖稱奇，他媽媽非常驕傲的指著一排三十多本精裝的書說，已經讀到字母C了。大家都誇獎這孩子，說回去也要叫自己的小孩念百科全書。

我聽了卻很不以為然，因為這不是有效的學習方法，就像我們小時候用背字典的方法學英文，效果不好一樣。學英文須從英文書的文章脈絡之間了解字的意義與用法，背字典是單純的 fact，沒有架構，背了不知該往哪裡放也是枉然。

百科是查資料用的，它是按字母編排的零碎事實，孩子可以背得一百萬個事實，使他上電視贏得有獎徵答，但是它沒有組織架構。坊間有很多一萬個或十萬個為什麼之類的書，賣得很好，但是我卻看不下去。**一個事實要對孩子有意義，必須**

先把它消化，找到它和別的事實之間的關係，在原有的知識架構中把它定位，這時這個知識才是他的，他的知識面才會擴大，才能融會貫通達到教育的目的。

美國自學成功的電腦界奇葩詹姆斯・巴哈（James Marcus Bach）就說：「教育不是一堆事實的總和，也不是求學的年數，更不是標準答案。它是從你所學的東西中脫穎而出的『你』。教育就是我們本身，不是可以反哺出來的東西。」這段話很值得深思，我們現在都錯認了教育的目的，把背誦一堆事實、考試得高分當作教育成功，其實教育是變化氣質的，一個有受過教育的人風度不一樣，文質彬彬。

詹姆斯・巴哈以一個高中未畢業的二十歲小夥子，進入蘋果電腦公司做軟體測試部的經理，讓底下一群學歷比他高的碩士和博士都服氣，的確有值得我們借鏡的地方。他說**他自學的效果之所以比到學校學得好，是因為他的自學進度表有機動性，隨時因為心中想讀而去讀。他讀的是他自己心智安排的順序，而不是別人安排的知識順序**。換句話說，他有求知欲，讀的是自己想讀的，所以他學習的動機比別人強，效果當然比別人好。

同時，**他學習的方法**也跟一般學校教的不同，他**強調思考**。他說，**每次想到一個點子時，就問自己這個想法的例子有哪些？有其他的想法跟它一樣嗎？我如何學**

習到這個想法的細節？他把這個方法應用到每一個新的、未曾接觸的東西上，因為知識會吸引知識，不知不覺就形成他錯綜複雜、連接緊密的知識面，這個方法最大的好處是：這是一個可以活用的知識網。

現在有很多年輕人大學畢業了，還不知道自己的興趣在哪裡。是不是我們的教育一開始就重視事實的記憶，忽略了思考的方法，以致所有的時間都花在記憶上，沒有時間把學習的知識組織成一張有用的網呢？

第三篇

競爭力

競爭力

沉潛讓東山再起的人生不一樣

一個學生的先生以技術入股的方式跟人合夥開公司，想不到當他去國外出差時，他的合夥人捲款私逃，從此人間蒸發，連辦公室都退租掉。這個打擊對他非常大，沮喪了好幾個月，無法出去找工作。我的學生看在眼裡很心急，認為男子漢大丈夫，失敗了，再站起來就是。反正是技術入股，技術在自己身上並沒有失去，再找工作一定會有，為什麼需要沉潛？所以來找我，看能不能鼓勵她先生東山再起。

她說：「我不是不同情他，而是怕他受到打擊沒有馬上爬起來再試，會變成您上課說的『習得的無助』，以後即使有機會，他也不敢去抓。」她指的是六十年代一個非常有名的實驗，只是她畢業得太早，後續的實驗已推翻了前面的結論，然而她並不知道。

這個實驗是讓一隻狗接受不可逃避的電擊。一開始時，牠會掙扎哀鳴，但是當牠發現怎麼做都逃不掉電擊時，牠會放棄，躺在通電的地板上，逆來順受，連哀鳴都省了。這時，實驗者把牠帶到一個全新的環境，在那裡，電來時，牠只要跳過一個很矮的柵欄就不會被電。但是一隻已經絕望的狗會放棄努力，不再嘗試，這叫「習得的無助」。

這個實驗當時震撼了美國的教育界，認為貧民窟的孩子中輟率高是因為他們在成長過程中，一直受到嚴厲的打擊，使他們對人生絕望，到後來即使有新機緣也不敢去嘗試。

之後實驗發現一切的行為與大腦有關係。原來動物的無助行為有演化上的原因，即當動物怎麼做都逃不掉電擊時，牠們腦幹中的背側縫核（dorsal raphe nucleus, DRN）會活化起來，分泌血清素到邊緣系統中掌管戰或逃的側導水管周邊灰質（dorsal periacquactal gray, DPAG）的地方，使動物不再嘗試。如果注射抑制DRN活化的藥物到大腦，那麼這隻動物就會繼續去逃避電擊，不會表現無助；然而一隻本來已經學會逃避電擊的動物，若被注射活化DRN的藥後，則變成只會躺著挨電擊了。

在遠古時代，動物打不過敵人卻不認輸就會喪命，如果放棄抵抗，趕快逃走，或許還可以多活一天。然而當威脅持續存在，血清素濃度到達臨界點後，大腦內側前額葉皮質（MPFC）就會下指令給 DRN：「不再嘗試了，保留資源，等待來日」，動物便不再反抗，趕快逃走或裝死，把資源保留起來靜待機會；一旦威脅退去了，前額葉皮質就會抑制側縫核，於是動物又開始嘗試逃脫。因此這個無助不是學來的，是演化對不幸事件的反應設定（default response）。

所以一隻已經放棄的狗，如果讓牠經驗可以逃避電擊後，牠會跳過柵欄去逃避。**一個曾經絕望的人必須先看到希望，他的大腦才會重新啟動，這就是為什麼幾乎所有失敗的人都需要沉潛一段時間才能東山再起**。

我告訴學生，給她先生一點時間，「希望」需要時間去說服大腦，再試一次人生可以不一樣。

2 社會需要的是能力，而不是學歷

在報上看到一位讀者說她在念國中時，學校對面是第一志願的高中，她的導師每天中午吃完便當，便帶全班到校門口，排好隊，對著該高中大喊「我的學校！我的學校！」我看完報好生驚訝，這實在太誇張了，難怪我們的升學主義打死不退。

管理學大師查爾斯．韓第（Charles Handy）在牛津大學念的是最冷門的古典希臘和拉丁文學，畢業後卻到當時最大的殼牌石油公司做事，現在是有名的管理學大師。他說學什麼沒有關係，如何運用學到的知識才是重點。

研究發現除了法學院、工學院和醫學院之外，其他零售、銀行、保險、投資等行業所用的人都不是看專業，而是看人品。大學所教的東西在職場上沒有幾個月便用完了，**公司需要的不是技術，而是誠信、對市場的敏銳度和敬業的態度**。它才是升遷的關鍵。

現在科技進步得非常快，人類生活在一個世代之內，便有截然不同的改變（蘋果手機是二〇〇七年一月九日初次上市，在短短十三年間，它已全然革命了我們的生活）。昨天行得通的方式，今天不一定幫得了你，甚至還會成為前進的阻礙。

韓第說他的記憶力不好，這對念古典文學不利，但是他的老師說，如果你的答案更好，那麼書本上的答案一點也不重要，鼓勵他不去死背而要思考。他說記憶力不好反而可以啟發創造力（我還記得中學時，背八國聯軍——俄德法美日奧義英的「餓的話每日熬一鷹」）。

他到現在早把以前念的拉丁文和希臘文忘得一乾二淨，也不記得希臘羅馬歷史哲學的細節，但是他從讀這些文學中，學會獨立思考，學會以清晰的邏輯方式表達自己的想法，這使他拿到令人羨慕的殼牌石油公司工作。他去面試時，主試者告訴他，頭腦清楚、訓練有素最重要，內容無關緊要。所以後來他的兒子當了舞臺演員，在廣告上要寫自己的簡歷時，並沒有把他是劍橋大學畢業的履歷寫出來，他問兒子這麼好的學歷怎麼不寫出來呢？兒子回答他：「爸爸，**在這裡最重要的是你能做什麼，而不是你在哪裡學的**。」

Bravo！教育的成果要等以後才能嘗到，現在念哪個學校、考多少分，有什麼重要呢？

學校的教育是社會化的手段，讓知識有系統的傳遞給下一個世代（我們的社會化是跟同儕完成的，不是跟父母完成的），**所以教育是使年輕人熟悉長者的行事，使前事不忘後事之師**。幾乎所有的國家都看重教育，它是觀念，不是細節。

看到老師、家長每天鞭策孩子讀書，為的就是要進入那間「我的學校」，真是非常感慨，功課好不重要，懂得從所接受的教育中，把自己的生命發揮到極至才是關鍵。

父母和老師不要對教育自己孩子有所疑惑，或看到別人去補習，自己不去而有所把握不住。韓第說得好：「**人生智慧的到來是需要時間的**」。

競爭力

誠信是一切的核心

美國總統歐巴馬在二〇一〇年一月八日的演講中說：「今天在教育上超越我們的國家，就是明天在競爭上打敗我們的國家。（"The nation that out-educates us today is going to out-compete us tomorrow."）」他看到了教育對國家競爭力的重要；我們也看到了，但是我們的教育制度卻像病入膏肓的病人，不知從哪救起。

有讀者投書質疑國高中為何要教這麼多、考這麼多，他問：這種教法除了扼殺學生的學習興趣外，畢業後，到底留下了什麼？

臺大也有教授問：大學生為什麼不會思考？中學六年填鴨太久，學生進入大學已經麻痺，即便思考也是基本的趨利避害動物模式，而沒有「**計利當計天下利，求名應求萬世名**」那種為天下蒼生的豪氣，或林則徐「**苟利國家生死以，豈因禍福避趨之**」那種書生救國的抱負。這種對自己沒有期望、對未來沒有希望，實比名校不名校有著更大的危機。

曾經有個學校學生作弊上了報紙，我朋友問他的孩子：「你會不會作弊？」他大聲說：「當然不會，因為我不在乎分數。」這話一針見血，學生會作弊是因為他的能力達不到父母、老師的要求，又不敢誠實面對，便只有作弊來逃避懲罰。作弊當然不對，但是我們是否也該檢討為什麼這麼重視分數？少一分為什麼要打一下？學習本有快慢，用同一把尺評量所有的學生是否公平？

除了分數，社會對成功的定義也有偏差，一切用錢來衡量，沒有給學生一個更高的人生理想。其實**金錢不等於成功，金錢更不等於快樂，人只有做自己要做的事才會快樂**，我們應該告訴孩子：假如你每晚都睡得安穩，早上起床時又對一天充滿期待，那麼這個工作就適合你。年輕時不要太重視金錢，要敢放手一搏，年輕不堅持理想，年紀一大，家累一重，就易對現實妥協，妥協會造成終身遺憾。

我們有時太用世俗的觀念來強求自己。有一次報登某人有志竟成，考了二十七次終於考上高考，我替他算了一下：大學畢業二十二歲，當兵兩年二十四歲，考二十七次高考，豈不是五十一歲了？大好的青春都花在準備考試，沒做幾年卻要退休了，豈不可惜？尤其是如果一直考不中，會不會是因為跟自己的性向不合？在德國，某科考試考了三次未過關，老師就會勸他去試別科，因為這表示他可能不適合這個領域。一個工作不管多有保障，不適合自己也是枉然。

年輕人要有志氣，不要只求溫飽，蘇格拉底說：「**有用之人為生活而飲食，無用之人為飲食而生活**。」其實，在臺灣只要肯做，都能出頭。有位更生人，出獄後從洗盤子開始，也洗出了兩家餐館。反而是一再強調生活的保障會讓孩子失去追尋理想的勇氣，而蹉跎掉一生。

現在的**知識經濟重視的是創意、創新和創業，但在講求變中有變的競爭力時，誠信仍是一切的核心**，只有童叟無欺，生意才做得長久。今天要與國際競爭，最重要的仍是那個不要考試的「誠信」。

4 食衣住行處處有創意

看到報載有小學生因偷便利商店的跳繩而被抓，真是非常驚訝，跳繩怎麼要去買呢？任何一根麻繩子只要是身高的兩倍，就可以拿來跳了，不是一定要兩頭有把手的才叫跳繩。我們小時候的玩具都是自己做，而且是就地取材，一樣玩得很高興。看到現在孩子什麼都用買的，大腦不會想如何製作替代品，就為他們感到緊張，這代表我們的孩子已經沒有創意了，也代表我們的教學出問題了。孩子不知道現象背後的原因，如果不懂一個功能背後的原因，就不知如何找替代品，其實，世界上沒有什麼東西是不可取代的。

曾有新聞報導說四個姐弟因肚子餓而偷竊，他們的父親出門做工，只留了二百元的伙食費給他們吃飯，他們第一天買四個便當便全部花完了，所以第二天只好去偷。其實二百元是可以填飽四個人兩天的肚子的，他們只要買白米或乾麵回來煮，加點醬油，加點油，至少可以混過一餐；市場也有很多尚可食用的剩下菜葉；甚至買兩條吐司麵包，四個人也可以撐兩天。我們的孩子現在什麼都是用買的，沒有錢就不會吃，也不會玩了。

其實自己做出來的玩具更好玩。我孩子小時候看到鄰居的孩子在玩騎馬打仗，他也想要一匹馬，我去玩具反斗城看了一下，發現要二十美元，覺得太貴了，不值得，便回來找到一根舊掃帚，把柄拆下來，拿條舊毛巾包在柄頭上，找些碎布塞滿了把它縫起來，再找些毛線做馬鬃，縫上兩顆扣子做眼睛，一匹木馬便完成了。孩子騎出去，引起眾人的羨慕，因為跟店裡買的不同，有特色，還不會丟，人家一看就知道是我孩子的，忘在別人家時，別人都會送回來。

自己做最好的地方是，讓孩子看到只要動點腦筋就可以得到同樣的東西，而且還有自己的特色。後來很多玩具他就看一看以後，回來自己學著做，我不知道這個經驗是否導致他後來走上「工」的路子，但是我知道他從此喜歡動手做，很早學會使用工具，也學會縫針線。

在烹飪的方面也是要趁早教，他去美國讀書，每學期生活費都會剩一些回來還我。我有時勸他不要太省，身體要緊，他告訴我，他吃得很好，營養都夠。例如：

週日先煮好一鍋麵，分成幾袋，平常放學回家時，把麵放進烤箱，上面鋪上一層肉，一層起司，二十分鐘後，就有焗麵可吃了。蘋果如果放太久，不新鮮了，他就把皮削掉，切片，拌些糖，灑些肉桂粉，放進烤箱烤。他說：「媽，香到連隔壁的室友都跑過來吃！」聽得我很欣慰。

他小時候我沒有讓他補習，把他帶在身邊，讓他看我怎麼做家事、怎麼跟人說話、打招呼。黃春明以前一直呼籲真正的教室在窗外，奧斯卡・王爾德（Oscar Wilde）也說真正的學校應該是街頭，我非常認同這個看法。教育的目的本來就是為學生出社會做準備，孩子離家後，第一要面對的就是打理自己的食衣住行。**我們必須及早讓孩子學會在他能力所能掙到錢的範圍內自給自足。《菜根譚》說：「**儉則用足」**，教會孩子節儉的過日子可使他免於金錢的煩惱，在人生的路上不會掉入欲望的陷阱，毀掉一生。**

競爭力

5 標準答案——扼殺創造力的元凶

一位朋友把她小一孩子的考卷給我看，嘆息的說：「這樣的考題怎麼培養得出創造力！」原來題目是「下列哪一種會長大？(1)桃樹 (2)小草 (3)種子」，答案是2，因為課文中說：桃樹會開花，小草會長大，種子會發芽。我非常驚訝現在還有這種考題！多年前我孩子小時候，他的自然科考卷也有一題是「『天氣很冷』這句話是(1)觀察 (2)判斷 (3)推想」，正確答案是1，但其實是三個都可以，因為我可以在家裡看到外面每個人穿著大衣，縮著脖子在走路，因此判斷或是推想外面一定很冷。

好幾年前曾經有位讀者在報上投書，說他國一時，國文考卷有一題是「下列哪一種人最美麗？(1)兒童 (2)少女 (3)少婦 (4)老婦」，他答2，但標準答案是3，因為「少婦新婚最美麗」。這種題目看了令人生氣。怎麼有這麼不用心、不負責任的老師？這位讀者說：「總之，在求學與接受教育的路程裡，我逐漸學會了熟記書上的標準答案，同時也學會了把自己獨特的想法與經驗擱置一旁。日後所經歷的各種大小考試中，我的成績也一直名列前茅；在獲得眾人讚美的同時，我卻有點悵然。我常常思索著：隱藏在這漂亮的成績下，我天生所具有的創造力與思想力，是否已在不自覺間一點一滴的流逝了呢？」這段話一語道出**標準答案的恐怖，它殘害我們孩子的心靈，使他們失去創造力及思考能力**。

有個實驗是把初生的老鼠隨機分成兩組，一組讓牠自由在籠中跑風輪做運動，另一組強迫牠在水中游泳，不游就會淹死。這兩組運動的量一樣多，唯一差別在主動、被動上，主動組是自己想運動，被動組是被實驗者丟到水裡去，不得不動的。等老鼠的大腦發育完成後，便讓牠們做水迷宮的實驗：把水染成白色使不見底，水池中隱藏著一座平臺，老鼠如果找到平臺便可蹲在上頭不會溺死。

實驗者發現主動組比被動組學得快，當兩組都學會平臺在什麼位置後，實驗者改變老鼠下水的方位，如果以前是正南方向下水，現在改成正北方向下水，結果發現主動組學會的是概念，會依實驗室牆上的裝飾、天花板上的燈管，調整牠的方位，順利找到平臺；被動組學會的是肌肉記憶的聯結，下水後仍然往原來方向游，找不到平臺就會溺死（就像許多孩子用背的方式學數學，題目一變就不會做了）。最重要的是，當把這兩組老鼠的大腦解剖開來看時，主動組的神經連接很繁密，被動組的很稀疏。

在神經學上，創造力的定義是兩個不相干的神經迴路碰在一起，活化起第三個迴路，因此它必須先要有繁密的神經迴路，才有可能使不相干的神經迴路碰在一起，觸類旁通、舉一反三。標準答案是死背一個固定的答案，它只活化一個固定的神經迴路，所以久而久之，其他不用的神經連接就被削減掉了，因此標準答案是扼殺創造力的最大元凶。

臺灣一向是考試引導教學，如果老師出的題目是死背型的，學生很快就學會不可有自己的想法，因為有自己的想法只會替自己惹麻煩而已。久而久之，人天生的創造力與思考能力就在現行的教育制度下消失了。見微知著，看到這種考試題目，能不憂心？

競爭力

創意時代的腦力競爭

二〇〇九年七月初，我去埃及做微軟潛能創意盃國際賽的裁判，看到了一百四十二個國家代表隊的各種創意表現，尤其是非洲的肯亞、南美的智利、東歐的羅馬尼亞等小國家都表現不凡，羅馬尼亞還拿到二〇〇九年軟體設計組的冠軍，深覺創意是最便宜的教育投資，會動腦筋就會有飯吃，只要有好的點子，不一定要有錢才能有好成績。

在比賽中，有一項是「古代遇見現代」的即席創意比賽，學生要在三十六小時之內，就地取材，做出一支短片來。有一個國家拍的是在古代的金字塔中，有一個木乃伊醒來，看到牆上貼著一張紙條：「抱歉，我沒有替你蓋金字塔。」木乃伊臉上表情很悲傷，這時一個年輕人進來說：「不要難過，我是建築師，我來替你蓋一座。」他把木乃伊帶到我們開會的旅館，這旅館游泳池中央有一座金字塔，木乃伊轉悲為喜，就要進去，年輕人拉住他說：「請看一下現代的金字塔。」鏡頭轉到旅館房間：電視、冰箱、彈簧床……，木乃伊眉開眼笑，最後一個鏡頭是門上掛著一面牌子「請勿打擾」。

短短一天半要做出一支短片來，還要配合題意，更要有幽默感，真是不容易，深感長江後浪推前浪，江山代有才人出。二十一世紀的競爭力在腦力，現在是一個創意的時代，教育要符合時代的需求，不然會被時代淘汰。創意需要自由與開放的環境，最怕有看不見的框，框住學生的思想。但是自由與開放並不代表隨便和不尊重，這一點常被人們誤會。最近政府大力推品德教育，我覺得很好，沒有品德做基礎，自由與開放常會變成自私與專斷。

自由與開放環境對創意的重要性可從電腦界奇才詹姆斯・巴哈的書《學習要像加勒比海盜》（遠流出版）中看出。他高中沒有畢業，是中輟生，二十四歲卻做到蘋果公司軟體測試部的經理。他說靠創意吃飯的人一定要隨時進修、大量閱讀。**書只要有興趣就看，不必問能帶來什麼好處。知識是相通的，知識會吸引更多的知識，使學習新知更容易**。在關鍵時刻，你比別人多一點知識、多一分靈感，就可能看到別人沒有看到的東西。**創造力的定義就是在同一個東西中，看到別人沒有看到**

的東西。

我非常驚訝他一針見血的說出了閱讀跟創造力互為表裡的關係，它們都是神經迴路的活化，當兩個不相干的迴路碰在一起，活化了第三條迴路時就是創意了。

我很希望未來我們能爭取到主辦國家（二〇一〇年在華沙，二〇一一年在北京），讓我們的學生有機會和世界各國的菁英切磋，也讓我們的官員和立法委員看一下教育是在質不在量，不能每天要求成果報告。

創造力不能一蹴而成，它是長期的教育投資，所有人才的培養都不能性急，水到自然渠成。

競爭力

不要再截長補短

有幾個媽媽在高鐵上大聲談論養孩子的昂貴，從補習費談到私校的學費。一個媽媽說，為了找出孩子的興趣，幾乎所有的才藝班都讓他上過了，可是到現在大學都畢業了，孩子還是沒有找到他的興趣，蹲在家裡讓她養。另一個說她的孩子為了準備高考已經補習兩年了，她自己覺得孩子並不適合做公務員，卻不知道他適合做什麼。

我在旁邊聽了好生驚訝，不知道自己要做什麼，一直去補習豈不是浪費自己的青春和父母的錢嗎？其實只要父母花點心思觀察孩子日常生活的舉止就會看出他的性向，尤其在遊戲時最容易看出來，因為人都不喜歡挫折，遊戲時一定是玩他最拿手、最有興趣的項目。父母知道了以後，便可以鼓勵他，安排機會讓他表現，興趣就培養出來了。

比爾・蓋茲（Bill Gates）的爸爸有一次說，他很早就知道他的大女兒是走會計的路。他說孩子小時候，帶他們去迪士尼樂園玩，當時大女兒才十歲，出門時便懂得帶一個小本子記帳，花的每一分錢都登記下來，到回家時，她把皮包的零錢倒出來，跟本子上的帳目一一核對，一分錢都不差。他和太太兩人對看一眼，心中雪亮，這孩子將來是會計師的料。於是他就從這方面引導她，凡是社區義賣或一年一度的賣女童軍餅乾（這是美國童子軍最大的一個全國性活動，幾乎所有的父母都會捧場，掏腰包買個一、兩盒）都叫這個女兒管帳，女兒帳管得很清楚，贏得很多人的讚美。別人的讚美聲越多，孩子做得越起勁，善意的正回饋循環之後，果然成了有名的會計師。

所以，只要在日常生活中對孩子多加觀察，就會看到他與別人不同的地方，如果是好的，就鼓勵他，使這長處變成將來謀生的技能；如果是不好的短處，要趕快改掉，不要等到後來積習難改，後悔莫及。

在二十一世紀，父母有一個重要的觀念就是孩子將來是靠長處吃飯，不是短處，所以不要截長補短。不必要求他國、英、數樣樣行，而是他必須有一項特別行，能夠跟別人競爭。在科際整合的現代，任何領域玩出名堂都有飯吃，不一定非最紅的領域不可，甚至冷門的科系，只要孩子喜歡、有興趣，都沒有關係，一旦你是這科系中做得最好的人，你一定有飯吃。最怕就是樣樣通、樣樣鬆，半吊子的學生，再紅的科系也沒用。

替歐巴馬夫人設計晚禮服的吳季剛就是一個很好的例子。他的喜好與一般男生不同，他愛玩芭比娃娃、替她設計衣服。這是一般父母不能接受的，但是他的母親看到他這個異於別人的長處，讓他去發展，把他帶到加拿大，抵擋別人的閒言閒語。果然一鳴驚人，闖出了他的天下。

養孩子在乎心，不在錢上，是可以不昂貴的教出好孩子來的。父母可在日常生活中、跟孩子遊戲時多加注意、觀察，像比爾・蓋茲的父母親一樣，自然就會看到孩子的長處，讓他的長處發展，孩子就成材了。

競爭力

8 讓孩子像大自然的蘋果樹

數年前跟一所私立高中的生命體驗營去山地服務，這個校長的理念很好，他說：「**越是有錢人家的孩子，越是需要生命教育，只有透過服務別人，才會對『擁有』感恩，才會珍惜。**」我很贊同他的看法，也佩服他的勇氣，在升學至上的私校，能說服董事會和家長，讓這些大小姐上山去服務很不容易，所以跟他一起去，表示我的支持。我認為如果這個社會無力懲罰壞人，至少應該支持好人，這樣，社會還是會進步，只是慢一點。

在營隊裡，我注意到有個女生比別人懂事，不但會料理自己的事，還會幫同學的忙，而且辛苦的事不待老師開口，第一個去做。在採集標本時，有個孩子腳受傷了，她把他背起來，沒有讓他因受傷而失去採集的機會，看她背得滿頭大汗卻沒有叫苦，很不像個千金小姐。找了個機會跟她聊時，才知道她是烈士遺族，兩歲父親就為國捐軀了，母親改嫁後，把她送到育幼院，她是拿到獎學金才能念這所私立的貴族學校。

聽她講時，我腦海中浮現一位不想再灑農藥的蘋果農民，經過九年的辛苦堅持，終於成功的種出不施肥、不灑農藥，完全自然的蘋果。他說現在大部分的果樹被人工接枝、基因改造後，已經失去原來在大自然中抵抗病蟲害的能力，不灑農藥就沒有收成。而且要做到真正的有機不容易，因為土壤中還有殘留的農藥和化學肥料，要過很久才會被雨水完全沖洗掉。

他花許多年的時光，不施肥、不澆水、不除野草，把蘋果樹回歸到原始在大自然的情境下，樹為了生存，不得不把根深入地下，以吸取水分，因此根很深、很密。當颱風來時，別人的樹都倒了，他的樹沒有，因為別人的樹根只有幾呎深，他的樹根有二十呎深，牢牢的抓著土地，所以颱風吹不倒，正是「根深不怕風搖動，樹正何愁月影斜」。

那為什麼不施肥呢？因為不論有機的或化學的肥料，施肥都會提供蘋果樹營養，當營養過多時，樹就不需要努力往下生根，反正輕鬆就可以得到所需。但是**如果果園的營養有限，為了生存，蘋果樹就必須激發本能，讓自己活下去，生命真的**

是自己會找出路。

中國人也有「置之死地而後生」的說法。我一九七六年去歐洲開會時，經過法國南部的葡萄園，有人跟我說貧瘠土地產出來的葡萄比肥沃的更能釀出頂級的葡萄酒，因為土地的營養不夠時，葡萄為了生存只好更深入泥土中，因此吸收了土壤中各式各樣的微量元素，使釀出來的酒香氣和味道更濃郁。

這個孩子生活得比別人辛苦，無父無母，無人呵護，但是她吃過的苦讓她生命的根長深，像蘋果樹一樣，禁得起颱風的考驗。她將來的成就一定會比別人大，因為除了一個聰明的大腦，她的環境還訓練出她堅強的意志和吃苦耐勞的身體。看到她在操場上跟小朋友追著玩，我不知誰比較幸運，她、還是她錦衣玉食的同學。但是我知道，**如果我是父母，我會把我的孩子推出冷氣房去外面磨練，我要我的孩子像大自然的蘋果樹一樣，頂得住颱風的肆虐。**

競爭力

用不同的尺衡量不同的孩子

腦造影技術精進後，我們可以在一個人的大腦上看到這個人即時即刻處理一個問題時大腦活化的情形，這些新的大腦知識改變了很多我們對教育的看法及教養孩子的方式。例如最近有一份報告：同卵雙胞胎在做同一件事情時，大腦活化的神經迴路有顯著的不同。同卵雙胞胎的基因完全相同，又是同一個父母撫養，成長的背景也是相同的，那麼，為什麼在做同一件事時會活化不同的神經迴路呢？答案是因為兩人後天的經驗不同。經驗會在大腦中留下痕跡，形成不同的神經迴路，因而造成不同的想法，思想決定行為，所以兄弟倆外表雖然一模一樣，行為卻不一樣。

這份報告使老師和父母了解為什麼**孩子不能跟別人比，只能跟他自己比，因為他跟別人基因不同、生長環境不同，當先天和後天都不同時，怎麼比？**橘子和蘋果不能比，雖然都是水果，但是種類不同。孩子也是一樣，雖然都是人類，但是每個人的基因和他生長的環境都不同，不能，也不應該比的。**不但不應和別人比，甚至連兄弟姐妹也不應該相比，因為還有一半的基因是不同的**。

新的實驗證據讓我們看到人只能跟自己比，俗語不是說「人比人，氣死人」嗎？只要孩子今天比昨天進步了，我們就應該感到欣慰，而不是指責他「別人都考一百分，為什麼你考不到一百分」。

其實我們在制定學習指標時，常是以全班前百分之幾的學生做標準，然後要求每個人都要達到這個指標，忘記了每個孩子基因不同、開竅的早晚也不同。不論個別差異，一律要求做到同一標準是不公平的。這個成熟（maturation）的差異在孩子小的時候最明顯，研究發現男生在小學時，成熟度比女生慢兩年左右，要到國中，男生的成長曲線才追上女生。在大腦中雖然每個人都有四個腦葉（額葉、頂葉、顳葉、枕葉），但是每個人這四個腦葉成熟的時間和順序卻是不同，現在有太多大腦的證據顯示，**學習慢不代表笨，只代表他大腦成熟得比別人晚**。

中國不是也有「大器晚成」的話嗎？我們怎麼忘記了！強迫孩子去做他能力還做不到的事情（這就是「壓力」的定義），只會使這個孩子對上學感到恐懼，對學習感到挫折。我們一直教孩子做事情要公平、正義，但是用同一把尺去評量孩子，在講究公平（同一把尺）的同時，卻犧牲了正義。

在講求腦力競爭的二十一世紀，教育應該鼓勵孩子親近知識、喜愛知識，他才有競爭的本錢。林語堂說：「**覺察、懷疑是一切思想的主力，求知、養趣是一切學問的水源。**」目前我們的教育制度與教育理想是背道而馳的，若要保持臺灣在國際上的競爭力，我們的教育觀念和制度一定要變。「以不變應萬變」是自欺欺人之語，假設你站在海邊，退潮時沒有關係，漲潮時不動就被淹沒了。世界在變，我們還用上一個世紀的觀念教孩子，怎麼不會被淘汰？既然二十一世紀是個科際整合的世紀，需要各類人才聚在一起形成團隊，共同解決一個核心問題，那麼我們的孩子只要有一項能力比人強，就會有飯吃了。**未來的人才是會思考、有專長的人才，我們應該依未來社會的需求培育人力**。

10 有國際觀才有競爭力

最近有好幾本新書都談到二十一世紀的競爭對象已經不是我們身邊的人，而是隔著太平洋、印度洋某個遙遠國家的人。因為網際網路的發達，E-mail無遠弗屆，世界已經無崇山峻嶺地理上的隔絕，物理上的距離已經消失，地球是平的了。所以如果有一天你打電話去美國辦事，不要驚訝接電話的人有印度口音，因為很多大公司已把顧客服務這一項包到人工比較便宜的印度去了。科技的進步實現了唐朝王勃說的「**海內存知己，天涯若比鄰**」。在二十一世紀，你的左鄰右舍可能是跟你隔了十萬八千里的人，因此現在全世界的學校都在強化他們學生的國際觀。

臺灣也很努力在推國際觀，只是很多人把國際觀解釋成「英文好」，以為送孩子上英文補習班就好了，其實英文只是表達的工具而已，內容才是重要。一個人可以不會說英文而有很好的國際觀，他只要有個好的英文祕書即可，但是一個英文很流利的人卻可能完全沒有國際觀，事實上，這種人比比皆是。在許多國際場合會看到英文發音很標準的人，但是用詞遣字不當、說話內容空洞，通常除了寒暄之外，講不出什麼比較深入的話。（總不能老是停留在打招呼的階段吧！）因此，**現在的年輕人必須勤閱讀，增廣見聞，當別人談到某個話題時，自己才插得上話**。

國際觀跟背景知識密不可分，我們的學生都知道非洲的南非共和國曾經實施種族隔離政策，百分之十的白人統治百分之九十的黑人，被全世界譴責和杯葛，但是它的政權卻能在一九九四年從長久的白人執政，和平的轉移到曼德拉（Nelson R. Mandela）這個黑人總統手上，而沒有發生流血暴動。曼德拉從一九六〇年代沒有個人電腦的時候就關進監獄了，關了二十七年，他如何能立刻適應這個幾乎完全陌生的社會？他怎麼平衡種族敵視，維持南非社會的安定，沒有暴動？

我問學生這個問題時，大部分都承認不曾這樣想過，所以我請他們寒假時去看曼德拉的傳記，因為南非的政治情況非常複雜，從一六五二年第一批白人登陸後，就實行種族隔離，黑人被壓迫了三百多年，對白人的仇恨很深。在南非的白人又分荷裔和英裔，彼此打過戰，雖都是白人，並不融洽；黑人也有不同的族群和部落，再加上南非有很多印度人以及非白、非黑、非印度的「有色人種」，這麼複雜的社會，一不小心就可能踩到地雷出亂子。

要了解這麼複雜的政治生態必須深度閱讀，所以我請他們去讀曼德拉的傳記，因為他的一生就是南非的近代史。從讀他的傳記中，不但學到為什麼他受人景仰、拿到諾貝爾和平獎，同時也學到他的政治智慧與接納不同意見的胸襟，他有主見而沒有成見，他有志氣卻沒有意氣，所以他會成功。其實我們臺灣非常缺像這樣有胸襟、有遠見的政治家。

很多人以為學英文就是背生字，其實不是。背生字固然重要，但是在掌握了小學三年級程度的單字後就要開始大量閱讀了。美國圖書館協會每年都有推薦好書，像紐伯瑞獎（Newbery Medal）**的書就很好**，學生可以從這些得獎的書看起，循序而上，不但增廣見聞，也學會字詞的正確用法。

快放假了，希望老師少出一些作業，多給學生一些時間充實他們的世界知識，為將來的國際競爭力打下根基。

競爭力

11 讓別人看到你的能力

最近景氣不好，大學生就業不易，有人什麼事都肯做，也有人說「一個月兩萬二，那我念大學幹什麼」。大學生拿兩萬二或許太少，但是兩萬二的工作卻可能打開許多其他本來打不開的門，使他接觸到許多本來不會接觸到的機會。

曾經有人去應徵臨時工，替懷孕生產的職員代班，兩個月產假結束後，老闆發現新人比舊人能幹、機伶、勤奮，他就找個機會把舊人資遣，把新人聘為祕書，本來的臨時工反而變成老闆身邊的機要了。所以我們要教孩子「大丈夫能屈能伸」，切不可認為自己才高八斗，別人一定要來求我才肯去。《決斷2秒間》的作者葛拉威爾曾經講過他母親的故事，讓我們看到命運女神真的只敲準備好的人的門，準備好的人看得到那是機會，沒有準備好的人，錯過了都不知道。

葛拉威爾的曾曾曾外祖母是牙買加的黑奴，他母親本來是沒有辦法念書的，因為當時牙買加是英國的殖民地，沒有公立中學，也沒有公立大學，而私立的念不起。一九三五年，南非約翰尼斯堡的一位歷史學家來到牙買加，看到這個情形就寫了一本書，猛烈批評英國的殖民地政策，他認為不提供殖民地人民受教育的機會，會拉大社會階級的差距，以後一定會暴動。果然這本書出版不久，加勒比海區就發生大暴動，死了很多人。英國政府在壓力下，提供牙買加學生獎學金念私校，葛拉威爾的母親因此才念了中學。

到念大學時，因為當地無大學必須去英國念，但旅費是一般人一年的薪水，家中負擔不起，他外婆便硬著頭皮去跟中國老闆借，因為牙買加的商店幾乎都是中國人開的。中國人為什麼願意借給她呢？因為中國小孩在牙買加學校受到排擠和嘲諷，而他外婆曾替他們仗義直言，所以中國老闆願意借錢給她（可見做好事的時候並不是求回報，但是回報往往在想不到的地方等著你）。他母親因此去了英國，在那裡碰到當數學教授的父親，兩人結了婚到加拿大定居，才有葛拉威爾這個人。他說假如那位教授不來牙買加，沒有那場暴動，英國政府也不會提供獎學金；假如他母親早生幾年，就沒有機會參加獎學金考試。

但是一個人成功並不是只靠運氣，他的外婆堅持他母親在家自學拉丁文、代數，後來才考得上獎學金。一個牙買加貧民的女孩照說是沒有機會念大學的，但是只要自己努力不輟，幸運女神會眷顧你。**人生有很多想不到的機會，所以，不要拒絕工作，抱著學習的態度認真做，每一份工作都能教你些新的東西，起碼也教你那個領域基本的做事規則**。知識學來什麼時候用，誰也不知道，但是機會來了，那個知識派上了用場，就使你攀上更高一層的工作。

在臺灣做事人脈很重要，而口碑是累積人脈最快的方式。但是如果待在家裡不出去做事，就不會有口碑。一個月兩萬二固然不如意，但想到它是一個打開很多機會的門，就會願意做了。

在不景氣的時候，我們更需要把正確的就業觀念教給學生。職業無貴賤，先做給人家看自己是有能力的，人家就自然會來求你了。

12 實做是通往教養的大道

杜威的「生活即教育」一直是教育的最高理想，最近我在一家餐廳中看到了這個理想的實現。

很多父母都讀過蔡穎卿的《媽媽是最初的老師》（天下文化出版）這本暢銷書，我很喜歡這本書，尤其喜歡她的人生哲學、生活品味及烹飪技術，所以在一個星期天中午，我帶母親和親友去了她的餐廳。

我們一走進門就看到一個很可愛的小男孩，穿著黑色的侍者制服，腰上圍的圍裙幾乎拖到地，迎上前來，很正式的說：「請問您有訂位嗎？」然後一本正經的在訂位單上劃去我的名字，說：「這邊請。」他把我們帶到窗邊的位子，但是我們都沒有坐下，因為太驚訝了，十二個一年級到六年級的小朋友，侍者打扮，圍裙口袋上還掛著一條摺得整整齊齊的毛巾，穿梭在桌子間端茶、上菜。一時間，覺得自己好似來到了格利佛的小人國，周圍都是小大人。

一個小學一年級的孩子用托盤端了一碗湯，目不斜視的專心走路，走到桌子前面，另一個跟他同樣年齡的女孩幫她把湯放在客人前面，說「請慢用」，然後告退。我們看得下巴都掉下來了，這麼小的孩子可以端湯，而且不會打翻，太令人驚訝了。可見**孩子可以教，他也可以做得很好，只要我們給他機會**。

我們終於坐下來後，一位漂亮的小女孩來替我們倒水並送菜單，然後一位小男生來點菜，他很有自信的掏出本子，先從女士點起，然後男士。看他嚴肅的寫著，我忍不住偷看一下，果然全是注音符號，但是又有什麼關係呢？文字是溝通的工具，只要達到目的，任何符號都可以用。

後來與蔡穎卿談時才知道，這些都是在網路上報名來參加「小廚師」實做活動的小朋友。從早上九點鐘父母把他們送來報到後，他們便留在餐廳中學習如何擺菜、擺刀叉、做沙拉、做甜點，實際動手做一個小廚師。中午時，父母以客人身分光臨，接受孩子的服務，吃完再把孩子帶回家。這一天她控制客人人數，不接受第二輪訂位。她強調在事前仔細教，盡量避免孩子做完，大人又得重做一遍的窘況，所以她的孩子都很有自信。她說她希望藉著這個活動讓孩子從實做中學到安排工作順序的重要、呈現食物美味的時間感、美食的知識，最後得到自己的成就感。

實做是一條通往教養真正的路，雖然進度很慢，卻是唯一的路。餐廳絕對不只是吃飯的地方，它是展現生活教養的地方。孩子從餐桌的擺設、餐具的安排、上菜的順序、服務的態度上學到最真實的生命教育一課，以後有服務他人的心，也懂得安排自己的生活。

生活即教育，良有以也！我今天看到一個有心人，在她的能力範圍內，不計較成本，成功的教育了十二名國家未來的主人翁。只要我們對教育關心、肯參與投入，臺灣的未來就會有希望。走出餐廳時，雖然天陰欲雨，但是我的心卻是明亮而愉快的。

競爭力

13 不會表達就沒有競爭力

二〇〇九年國中基測有四千多名考生作文繳白卷，甚至有孩子在卷子上寫「題目很難，我不會寫」，其實今年題目「常常，我想起那雙手」比去年「當一天的老師」容易。孩子在生活中，每天不知看到多少雙手，先不講父母照顧的手，就從早上出門上學算起，就有路邊賣早點小販的手、公共汽車司機駕駛的手、導護老師指揮交通的手、老師寫黑板的手、校工打掃廁所的手、廚工做營養午餐的手、同學勒索打人的手、護士阿姨貼紗布的手……，任何一點都可以發揮，怎麼有這麼多人繳白卷呢？難道心中真的無一句話可說嗎？

作文科缺考一向為各科缺考之冠，據統計，二〇〇九年比二〇〇八年多了一千五百多份白卷，這透露出一個警訊：我們的孩子不會思考和表達，連不需要破題的題目都不會寫。當這麼多人連基本的作文都不會時，在小三教「映襯」等修辭學有什麼意思？我們該不該檢討一下教學的內容和難度？

新加坡前總理李光耀說，二十一**世紀的公民必須有「快速吸取訊息的能力和正確表達自己意思的能力」才能和別人競爭**。對於後者我們的學生差太多，連念了十二年國文的大學生在寫問答題時還是常常詞不達意。報上登有學生文不對題，不管三七二十一，把背好的文章硬套上去，管他是什麼題目，這表示我們教學還在死背的階段，背範本，不教思考。

現在我們一定要開始訓練孩子的表達能力了，孩子若是說得不好，父母先不要急著替他說，耐心等他講完後，把他的意思再講一遍，問他是不是這個意思，讓他了解原來我的意思可以這樣表達，但是千萬不可叫他照你的話再講一遍，因為這樣就失去跟你談心的樂趣，變成功課了。

中國父母最厲害的一點就是可以把任何有趣的事都變成功課，也最喜歡打斷孩子的話，常說「我知道了，不必說了」，其實很多時候父母並不真正知道孩子的意思，而且就算知道了也要給他一個練習說話的機會，耐著性子把話聽完，因為這是個身教：不打斷別人說話是種禮貌、是尊重的表現。我們常教孩子不要搶著說話，但是自己卻常犯。

很多人質疑思考可以教嗎？邏輯不是天生的嗎？其實，思考的確可以教，邏輯性的思考也需要後天的訓練。因此，現代化教學應該是老師講得少，孩子講得多。**鼓勵孩子把眼睛看到的、心中想到的轉換成別人可以懂的話說出來，再逐漸訓練他「我手寫我口」，達到用文字表達自己意思的境界**。

眼睛看字比耳朵聽話來得快，快了幾乎三倍，在時間就是金錢的現代，電子郵件和簡訊幾乎取代了電話。我們的孩子要和世界競爭時，必須快速、正確的了解別人的意思，然後正確的把自己的意思表達出來，這一點已經沒有爭辯的餘地了，這個訓練必須立刻做，不可再忽視！

競爭力

14 生命自己會找出路

好幾位媽媽向我抱怨說放暑假反而比開學時更忙，每天忙著接送孩子上腦力開發班、潛能開發班、才藝班，接接送送，孩子還不感激，整天板張臭臉給她們看。我問她們何苦來哉，她們異口同聲說怕沒有及時找出孩子潛能，誤了他的前途，讓他輸在起跑點上。我聽了很詫異。這裡面有好幾個迷思。

康納（Bart Wayne Conner）是一九八四年奧運美國男子體操第一面金牌的得主。他小時候並沒有什麼特別，有一次在家裡頑皮，倒立用手走路，被他爸爸看見了，覺得很有趣，客人來時，便叫他出來表演。這一點點的鼓勵就使得他在家勤練倒立，用手上下樓梯。在學校裡，男生都希望引起女生注意，他沒有別的特長，便常在教室中耍寶、倒立行走。有一天被體育老師看到，覺得他有天分，便帶他去參觀體操訓練中心。他一眼看到雙槓、單槓和跳馬，就立刻知道這是他將來安身立命的地方，一回家便懇求母親讓他練體操，那年他十歲。

一開始，教練不收他，嫌他彈性不夠好、骨頭不夠軟，但是他鍥而不捨的苦練，終於替美國拿到第一面男子體操的金牌（他後來娶了一九八四年奧運獲女子體操金牌的羅馬尼亞選手 Nadia Comaneci）。康納自己說「一分天才、九分努力」，他是苦練出來的。

任何領域要成名都得下苦功。**孩子如果有莫札特的能力，我們給他莫札特的環境，他會成為莫札特。他如果有莫札特的能力，但是沒有莫札特的環境，「生命自己會找出路」，他的過程會坎坷，但還是會成為莫札特**。我們最怕的是孩子不是莫札特，而我們一定要他變成莫札特，這時親子雙方都很痛苦：父母會很失望，覺得孩子是扶不起的阿斗；孩子會很痛苦，知道自己達不到父母的標準。康納的例子讓我們看到適性發展加上一點點的肯定，可以有很大的成就。

在神經學上沒有「腦力開發」這回事。大腦重約三磅，占我們體重的百分之二，卻用到我們身體百分之二十的能源，當它用到十倍的能量時，它是不可能只有百分之十在工作，其餘的百分之九十閒閒沒事幹的。大腦是用進廢退的，實驗已發現，盲人在讀點字時，視覺皮質被觸覺徵召過去用了；連把正常人眼睛矇住五天都會開始改變他的視覺皮質，去做聽覺、觸覺方面的事。大腦怎麼可能放任百分之九十不做事？

在神經學上也沒有「輸在起跑點上」這回事。實驗已找到終身學習的神經機制，一九九九年瑞典的神經科學家發現，掌管記憶的海馬迴的神經細胞會長出新的神經元來，大腦不停因外界需求而改變內在神經迴路的連接。

教養孩子是順其天性即可，唐代柳宗元借種樹郭橐駝的嘴說：要讓樹長得好，必須「**其本欲舒，其培欲平，其土欲故，其築欲密**」。種下去了，不要時時挖起來看，耐心等待，它自然以茂盛的果實來回報你。

競爭力

15 失敗比不曾試過好

朋友跟我抱怨，她畢業出來做事沒兩年的兒子，現在把工作辭了要自己創業。她擔憂的說：「現在不景氣，吃人頭路穩穩當當，每個月時間過去就有薪水拿。現在他要自己創業，我不能袖手旁觀不幫忙，又擔心我的退休金血本無歸，臨老要流落街頭，沿門托缽。」

我看她真的很憂心，就去找她兒子談。她兒子說他每天上班就頭痛、下班雙肩僵硬，他知道是壓力的關係，老闆喜怒無常，他覺得不只是把時間賣給老闆，連靈魂都賣給他了。所以想來想去，決定自己創業當老闆，不必聽命別人。我問他風險，他說：「沒有失，哪有得？人總是去闖一下，才不負少年頭。」

我兩邊的話都聽了以後，決定回頭來勸母親，因為在實驗上有看到自主權對健康的重要性，很多研究都顯示在同一個緊張、快速、壓力大的辦公室中，職員得心臟病、高血壓的機率比經理高，越有主控權的人，其得病的機率越少。人必須覺得自己是情境的主人，對情境有操作權而不是聽命於情境，身體才會健康，心情也才會快樂。

有個經典實驗是去一所老人院，跟東廂房的老人說：這裡有一盆花，你搬回去房間養，養死了要賠；你每天早晨有一顆蛋可吃，你可以選擇要煎蛋還是煮蛋；每週有兩部電影可看，你可以自由選擇看愛情片還是西部片。實驗者跟西廂房的老人說：這裡有一盆花，請搬回房間去欣賞，你不必照顧它，護士會每週來澆水；你每天早晨有一顆蛋，一、三、五是煎蛋，二、四、六是煮蛋；另外，每週有兩部電影可看，星期三是愛情片，星期六是西部片。

一年以後，實驗者回來看老人的健康情況，發現西廂房的死亡率高於東廂房。這兩個廂房生活飲食、條件都相同，唯一的差別是東廂房的老人有主控權，而西廂房的沒有。這是第一個實驗顯示心理上的主控感覺對生理的影響。

所以，**父母在某個程度之內，可以釋放給孩子一些對他自己身體、行動的主控權，只要把後果告訴他，讓他自己做主，他若甘願冒風險，就請他自承後果。**孩子會告訴你，失敗的感覺還是比不曾試過的感覺好，錦衣玉食無法彌補不能做自己的痛苦。

我勸同事老本留著不要給出去，但是鼓勵孩子去創業。**人只有做自己才會自在，有主控權才會健康。停在港口的船是最安全的，但那不是造船的目的。**

16 行動三分財氣

二〇〇九年，時任新加坡國家圖書館管理局處長的高麗連女士來臺灣訪問，她是「讀吧！新加坡」這個運動背後的主要推手。新加坡推全民閱讀，不但所有行業（包括計程車司機、理髮師、醫師、護士等）都組識讀書會，甚至連搭飛機的旅客也沒閒著，在飛機上，空中小姐會推著小車，除了咖啡飲料之外，還提供書籍給旅客閱讀。我們的行動圖書館是在地上跑的，一輛小卡車，上山下海，全省走透透；他們更厲害，是天上飛的。他們的閱讀運動推得很澈底，舉辦六天的閱讀馬拉松，讓閱讀成為跨族群、跨行業的全民運動，新加坡的執行力令人咋舌。

執行力其實就是動手去做，澈底達成目標。蒙古有句很好的諺語：「用嘴巴殺死的獵物搬不上馬，用言語殺死的獵物剝不了皮。」實做才有用，其餘都是空談。新加坡不但執行力強，反省的能力也很強，李光耀還在做總理時，有一次，香港批評新加坡人沒有服務的DNA，這句話相當嚴重，表示先天沒有這個基因，教也沒有用，是不可能改善的。李光耀總理沒有反脣相譏，或說香港人不懂新加坡文化，反而是聘請萊佛士（Raffles）顧問集團找出服務差的原因、設計課程，將新加坡的服務品質大大的提升起來。當時李光耀總理講了一句話：「漏氣不會死，沒氣才會死。」叫新加坡的人民不要氣餒，知錯必改就好。他說：「唯有深度自我期許的社會才樂於檢討，唯有檢討之後，積極有效的行動才能使自己進步。」

的確，清初顏習齋就說：「惡人之心無過，常人之心知過，賢人之心改過，聖人之心寡過。」他並未說「聖人無過」，他只說「寡」過，少一點而已。孔子也說：「人非聖賢，孰能無過。」可見只要是人，就不可能無過。新加坡小國小民，能夠成為亞洲四小龍，與他們的領導人有氣度、可以接受批評有很大關係。

人類文明能夠進步這麼快，有一個原因在於有人敢冒險犯難、挑戰未知。如果做與不做的機率都是百分之五十時，應該要做，因為一動就改變了機率，就不是dead lock，就有致勝的機會。**所謂「行動三分財氣」，天天坐在家裡是不會有錢從天上掉下來的**，**一定要出門**，**好運氣才會讓你碰到**。多做當然有可能多錯，但是漏氣不會死，改過就好；只怕不認錯，不認錯就沒有改進的機會，沒氣才會死。

明萬曆進士呂坤在《呻吟語》中說：「**有過是一過，不肯認過又是一過；知有過而不認，將流於惡，可不畏哉？**」「流於惡」才是最可怕的。《周易》說：「**無咎者，善補過也。**」犯錯無妨，補過即可，只要不犯第二次過都沒有關係。在教學上，我們鼓勵孩子動手做，從做中學，即所謂的 hands-on。在神經學上，我們看到經驗最能促使神經的連結，學習的效果也最好，所以受到批評沒有關係，有批評才有改善。

如今新加坡的服務是人人稱善，我們一定要讓孩子知道**動手實做是一切的根本，「執行力」才是決定勝負的指標**。

競爭力

不知過去，怎知未來？

在飛機上碰到一個回臺探親的美國高中生，他很有禮貌的問可否與我談話，因為他暑假作業中有一項是「在安全的環境下與陌生人談話五分鐘」。我覺得這項作業很好，可以訓練孩子社交與表達的能力，就同意了。在交談中，我很驚訝他居然知道神經學的祖師爺卡哈（S. Ramon Cajal），也知道卡哈在一九〇六年拿到諾貝爾獎。我問他為何知道這些冷門知識？他說學校有開「生物學的現代趨勢」，為將來走生物科技的學生做準備。我說：「生物科技一日千里，新的都讀不完了，怎麼還有時間讀到上個世紀的卡哈？」他說：「為什麼不呢？不知過去，怎知未來？」答得好，的確，「不知生，焉知死」。

我一直為我們的教育不注重歷史而憂心，很多人都認為科技只要知道現在在做什麼就夠了，其實思想與學說是一脈相傳的，不知過去怎麼想，就不會了解為什麼理論會走到現在這個樣子。不知歷史的危險還包括把前人已經做過的當作自己的創新發明。西北大學的著名心理學家安得伍（B. W. Underwood），年輕時曾經在心理學年會上興奮的報告他的新實驗，當他講得口沫橫飛時，一位老先生站起來說：「年輕人，這個實驗我在一九二四年就做過了。」他說他當時窘到恨不得有個地洞可鑽，從此不敢忽略文獻與歷史。

政府現在正大力推世界觀，很奇怪的是，許多人把世界觀跟英文畫上等號，好像英文好就是有世界觀。其實要有世界觀，先要有世界歷史的背景知識。一九七六年我去愛丁堡開會，在路上跟一個蘇格蘭人打招呼說：「今天天氣很好。」他微笑說：「是的，但是千萬不要告訴英格蘭人。」我聽了很驚訝：「難道你不是英國人（English）嗎？」他正色說道：「不是，我是蘇格蘭人（Scottish），我們是聯合王國（United Kingdom）。」我覺得很奇怪，明明歷史課本就寫英倫三島：英格蘭、蘇格蘭、愛爾蘭。後來碰到愛爾蘭人又問了一下，他的反應就更激烈了，告訴我愛爾蘭和英格蘭人不同文、不同種。

回到美國後，我查了百科全書，才知道英倫三島的人的確是不同文、不同種。英國女王伊莉莎白一世終身未嫁，十七世紀初過世後沒有子嗣，所以由蘇格蘭王詹姆士一世入主英國，蘇格蘭才和英格蘭結合在一起。如果不知道他們過去的歷史，在國際場合上就可能說錯話得罪人。**世界觀的培養不是說說英文而已，得先了解每個國家過去的歷史，才能進一步了解現在的世界情況**。在外交上，就算要見縫插針，也得先知道縫在哪裡，才插得進去。

現在世界已是天涯若比鄰，朝發夕至，不論貿易和外交，我們都需要有國際觀的人才。或許我們可以調整目前高中的課程，不要排那麼緊，留一點時間給學生讀一些歷史上的恩怨情仇。不念三國，怎麼會了解「既生瑜，何生亮」的無奈，又怎麼會產生「浪淘盡，千古風流人物」的情懷呢？

第四篇

神奇的腦

在大腦的主控下，情緒「藏不住」

在捷運站碰到一位擔任國小五年級老師的學生，她看到我很高興說：「老師，我正好有問題要問您：請問人是如何知道別人的情緒或感覺的？我前一晚與先生吵架，到第二天早上仍然餘怒未消，但我知道不可以把情緒帶到教室，所以我很小心的控制我的言行，像平常一樣的上課。然而我的學生卻知道了，那天他們都很乖，沒惹我生氣，到中午吃飯時，我聽到班長在警告同學：『老師今天心情不好，小心被颱風尾掃到。』我很驚訝，我什麼話都沒說呀？我就把班長找來問，她說不出一個所以然，只是說我一進來教室她們就知道了。我想請問您，我在哪裡洩露了天機？為什麼他們知道？是大腦的關係嗎？」

是的，**情緒的偵察正是大腦鏡像神經元一個主要的功能，這些鏡像神經元分布在大腦的運動皮質區、額葉和頂葉皮質等地方，專司模仿。辨識情緒的能力是同理**

心的必要條件，當我們目睹別人受苦時，大腦會活化那些你自己遭受痛苦時所活化的肌肉，比如說，給學生看棉花棒觸摸面頰、用刀切蕃茄和用針刺手指，這三種情況中，只有看到第三種時，學生的手會縮起來，這是同理心，也就是他大腦的鏡像神經元在作用，**使他感同身受**。

這個力量很強，哪怕你並沒有在意識上察覺到某人的表情，不過你臉上的肌肉還是會動（這就是為什麼許多夫妻吵架時，先生會說：「我又沒有說我不願意做。」但太太的反應是：「你不必說，你的臉已經說了。」）

有項實驗是給大學生看一連串快速呈現的快樂、憤怒或無表情的人臉照片，請他們作情緒的判斷。這些受試者臉上先貼了偵測肌肉活動的小電極。結果發現即使照片閃示的速度快到受試者幾乎無法辨識臉上的表情是什麼，肌電圖（electromyography，EMG）仍然可以測試到他們臉上的肌肉有在動，而且動的地方與他們宣稱看不清楚的照片上的表情一樣。

但是假如他們無法模擬這些情緒，他們識別這些情緒的能力就會降低。比如說要求他們先咬住一枝鉛筆，然後再看這些照片，結果他們就比較沒有辦法辨識照片上的情緒，因為咬鉛筆阻止了他們模仿觀察到的情緒。

大腦對情緒的偵察這麼敏感是有演化上的原因，因為來者善不善，是敵是友，強烈影響著我們的生存。實驗發現受虐兒對螢幕上憤怒表情的反應比一般正常兒童快了千分之二十秒，大腦只要一看來者不善，就會馬上下指令——「立刻逃命」。

知道了大腦對情緒的偵測這麼敏感後，這個學生嘆了一口氣說：「沒想到大腦竟是如此的厲害，連意識上偵察不到的東西，在大腦都會形成反應，難怪我們會用第六感來解釋兩人之間來不來電。以後我們得學精神科的醫生一樣，下班回家時，把情緒鎖在辦公室內，不然它會不自覺的干擾我們的生活呢！」

神奇的腦

大腦內鍵「美」的法則

最近教育部在推素養教育，其中包括美學在內。但是「美」很抽象，是個主觀的經驗，如：臭豆腐和榴槤，你的厭惡可能是我的最愛。因此，有老師來問：「美」有放諸四海皆準的標準嗎？如果沒有，怎麼教呢？

也有老師有不同的意見，說她擔任過多次作文比賽和美術比賽的評審，她的經驗是「英雄所見略同」，每次評審結果，如果去掉常態分配（normal distribution）曲線兩端的分數，大部分評審員的意見是很相近的。也就是說，你認為美的，我也認為不錯，所以美感是有共通性的。

這是一個很有趣的問題，我們平常很少去想它。恰巧最近耶魯大學有個研究：從數學的美來討論視覺藝術和音樂的美有無一致性。作者之一是位數學家，他在上完一堂課後，對自己很滿意，隨口說了一句：「今天的課就像舒伯特的 sonata 一樣。」沒想到耶魯的學生音樂素養很不錯，有人下課就來問他是什麼意思，引發他的研究動機，找了作者之二的心理學家，一起來探討。

數學被公認是所有科學的基礎，數學上有個 Occam's razor 的簡約法則，講究優雅（elegant）、清晰（clarity）等等，數學家常喜歡說「這個證明很美」。一般人對數學也有很多直覺，例如在「4-2=2，因為 2+2=4」和「2+2=4，因為 4-2=2」的推論中，一般人比較偏愛前者，因為前者是 basic。

曾有研究請數學家在核磁共振儀中，對數學公式做美的評分，結果發現符合他們心目中美的標準時，大腦的眼眶皮質內側（medial orbitofrontal）會活化起來，跟我們對視覺和聽覺刺激感到美是同一個部位。大腦竟然有專門反應美的地方，真是令人驚訝。然而閱讀這個能力對人類文明這麼重要，但大腦中並沒有一個地方是閱讀中心。

生物演化學家認為這跟生存及繁殖有關：人類喜歡對稱的臉，因為它代表健康，連剛出生不久的嬰兒都喜歡對稱的臉；在美術館中，人喜歡看有樹木大草原的風景畫，因為它表示那個地方有水有蔭有生機。

為了了解一般人（laymen）是否跟數學家一樣對美有內在潛意識的法則，他們找了大學生來請他們判斷數學證明和優勝美地、洛磯山、安地斯山等地方的風景畫作的相似性，結果發現相似性很高，表示內在的法則相似。

又因為音樂有著數學的結構，發明畢氏定理的畢達哥拉斯（Pythagoras）他的西方音樂理論到現在還在使用，所以人們又作了一個比較舒伯特、巴哈、貝多芬等人的奏鳴曲和數學證明美的相似性研究，結果發現也很像，表示每個人心中的確有一把判斷美的尺。這把尺固然因為文化而異，但共同性比我們想像的高，因為它有演化上的原因。

原來**要美，必須要真，要優雅，要清晰，要有深度**（profundity）。兩個月前，聯合國在加拿大的 Montreal 開了一個會，檢討高中的課程，他們建議以後大學生不論人文或社會科系都要修數學，才能跟得上ＡＩ時代對大數據、模擬以及數位科技的需求。**科技和人文是分不開的，難怪有個實驗顯示人在五十毫秒之內便能判定一個東西美不美，原來它竟是祖先傳給我們的內隱生存能力呢！**

冥想是大腦的特異功能

鑑於有體驗才有感動，有感動才有改變，愛臺灣不是喊口號，而是身體力行的去了解這塊土地的歷史和文物才會產生感動，所以我們鼓勵學生參加走入社區的社團去了解臺灣，期使他們將來願為臺灣的未來而投身。

一個學生在訪問了社區耆老後，來找我談她心中的疑惑。她說一位曾是小學老師的阿嬤告訴她，在民國四十年代她們讀師專時，資源極度匱乏，全校只有一臺風琴，但是早期的包班制是級任老師也要教唱遊，所以學校就叫她們用馬糞紙作一個琴鍵盤，上面畫上黑鍵和白鍵，她們在心裡唱，手對照著樂符在紙鍵盤上彈，一週有一次可以進入琴房去實際練習，但是就這樣，她們也學會了彈琴。這個學生聽得目瞪口呆，覺得不可思議，回校後就來問我這真的會有效嗎？

會的。有個實驗是請鋼琴家躺在核磁共振中，想像他在彈貝多芬的奏鳴曲，然後再給他一個電子琴鍵盤，請他真的彈。結果發現兩者在大腦中活化的部位一樣。所以見人吃飯喉嚨會癢，沙盤演練會有效，因為在大腦中，動用到的是同一個神經機制。

不久以前，師大設計系的學生得到了國際技能競賽「平面設計技術」的金牌獎，記者在訪問她時，她說比賽的第一天電腦就當機四十分鐘，等待修復的時間裡，她在腦海裡把等一下要做的步驟一一想好，當電腦一修復，立刻按照腦中的計畫執行出來，使看起來落後的她反而後發先至，拿到了金牌。

其實，大腦有這個功能並不稀奇，更厲害的是這個冥想還真的能改變肌肉的強度。實驗者要求受試者一週五天，每天花十五分鐘彎曲手肘和小指頭，第一組實際運作；第二組，在大腦中想像自己在彎曲；第三組不做任何動作。十二週之後，發現第一組的肌肉力提高了百分之五十；第二組肘部的肌肉增加了百分之十三．五，小指的肌肉則增加了百分之三十五；第三組沒有任何改變。

這實在令人驚奇，為什麼只憑想像就能使肌肉變得更強壯呢？實驗者用腦波儀檢測時，發現在實際練習時，大腦送往肌肉的訊息振幅增加了，電流強度的增加使得肌肉的收縮更為強烈；第二組雖然沒有實際去做，但是他們腦波的振幅也增大了，而且增大的幅度跟第一組差不多。他們自己並沒有感受到肌肉在動，但神經元還是使肌肉緊繃起來，這就好像學生在臺上比賽，老師雖然坐在臺下觀看，但全身的肌肉會不自覺緊張起來，而且會依著學生在臺上的表現，肌肉一塊塊的放鬆，就像自己在臺上比賽一樣。

這個學生的問題也使我們看到為什麼**想像力是創造力的根本，當孩子在作白日夢時，他的大腦會隨意活化某一些神經迴路**，若旁邊湊巧有一**條原本不相干的迴路，火花一碰撞，兩條神經迴路連接在一起，新的點子就出來了**。難怪很多科學上的發現都是在洗澡時、散步時、作夢時出現的，所以下次孩子發呆時，不要罵他，說不定有新的發明正在醞釀呢！

4 大腦會依外界的刺激改變

二〇〇九年九月分的《美國國家科學院學報》（PNAS）中，有一篇論文報導四川地震後才二十五天，災民大腦就改變了。研究者用核磁共振比較四十四位災民和三十二名正常人大腦的血流量情形，結果發現前額葉皮質（prefrontal cortex）、邊緣系統（limbic system）和紋狀體（corpus striatum）以及前運動皮質輔助區（pre-supplementary motor area）比一般人活化，但是邊緣系統到紋狀體的迴路卻減弱了。前者是處理情緒的地方，這個地方太過活化會帶來焦慮、創傷記憶的回憶、恐懼和痛苦。後者是在時間壓力下必須做決定時會活化起來，它負責調節壓力處理的迴路：從下視丘（hypothalamus）到腦下垂體（pituitary）到腎上腺（adrenal）。

過去，我們認為大腦定型了不能改變，但現在有許多實驗都顯示大腦其實一直不停的因為外界的刺激而改變內在神經迴路的連接，這個改變非常快。以前在中指被截肢的猴子大腦中看到，三個月之內，運動皮質區原來掌管中指的部位會被食指和無名指瓜分。但是最近在人類的實驗上發現不需要到三個月，只要把正常人的眼睛矇起來五天，他的視覺皮質區就已經開始處理聽覺和觸覺的訊息了。所以有產後憂鬱症的母親，應該趕快把孩子抱去給別人帶，因為嬰兒才一歲，大腦就已發展不正常了。哈佛、耶魯醫學院都有報告指出，受虐兒的大腦連接兩個腦半球的胼胝體比較小，小腦蚓部的血流量比較少，海馬迴神經細胞的死亡比較多。這一切都指向大腦會依外界的刺激而改變，而且是一直不停在變。

既然大腦會因為環境而改變，那麼災區的重建除了硬體之外，還應該在最短的時間內減少大腦因壓力創傷所造成的傷害。**研究發現運動是個最好的方法，大量運動後所產生的多巴胺、血清張素可以抒解壓力，減少焦慮**，在臨床上已看到運動可以替代百憂解和利他能等治療憂鬱症的藥效。

運動跟學習也有直接的關係。我們在運動時，大腦自己會產生神經滋長因子（BDNF），它像個營養劑，把它滴在細胞培養皿的神經元上，神經細胞會長出新的分枝，增加學習所需的神經連結。而且它會製造血清張素和麩胺酸，刺激更多的BDNF受體生長，增加神經元之間的連接，固化記憶，尤其是長期記憶。

運動時還會分泌另一種血管內皮生長因子（vascular endothelial growth factor，VEGF），幫助建造新的微血管，所以運動對健康有益。災區在重建硬體的同時要多蓋運動場所，鼓勵災民運動，盡量避免憂鬱症或創傷後症候群的發生。

園藝亦是一個很好的治療方式，因為「生長」本身就是希望，是個正向的情緒。看到報上災民急著復耕而政府不准，因為復耕地為河川地或尚未規畫完成之地。其實，政府可以暫時先提供一些可耕地讓災民復耕，一方面蔬菜長得快，二十天左右就有收成，有物可賣就有錢進來，這對焦慮的心靈是個很好的安撫；另一方面耕種本身是運動，可減緩焦慮。只要讓災民知道一旦規畫完成，不適合耕種之地必須放棄，另到合適地方去種即可。

救災千頭萬緒，但是心比物重要，有希望，日子就過得下去了。

強烈影像的殺傷力

新聞報導有個小學一年級的導師在班上放了吳道子所繪地獄圖的影片，造成孩子恐懼、無緣無故大哭、晚上作惡夢、不敢一個人睡、不敢夜裡起來上廁所等情緒創傷的症狀出現。且校長對媒體說「只有一次」，意思是說沒有關係，只播了一次而已。但是，強烈的情緒一次就夠了，它甚至可以穿越失憶症的厚牆，使失憶症患者記住這個事件。

一九六二年，美國有一個年輕的海軍上尉在練習西洋劍時，不小心被對方的劍刺入眉心，破壞了掌管記憶的海馬迴，得了失憶症，後來他連鏡子中的自己都不認得，因為他所記得的自己是二十四歲的青春模樣。然而他卻記得一九六三年甘迺迪總統被刺的事件。那天，他在電視上看到這個悲劇，當場震驚得說不出話，淚流滿面，後來發現，每年的十一月二十二日他會去所住醫院的病人休閒室看電視，每次看、每次流淚，他知道甘迺迪總統已經死了，但是記不住誰接替甘迺迪做總統。**強烈的情緒是一次就足以造成孩子的傷害，大人切不可無緣無故去嚇孩子**。其實我們從蘇建和案就知道，那位目睹父母被殺的孩子大腦受到永久性的傷害，使他智力萎縮，退化到幼稚園的程度，所以不可低估情緒的威力。

有人說孩子只是看了DVD，並沒有親身下油鍋或上刀山，但是在實驗上已經知道，恐懼不一定要親身體驗才會造成傷害。這個實驗是先請受試者躺在核磁共振儀中看一支短片，實驗者告訴他「等一下你就要做同樣的事」。片中的男子手被綁在儀器上，當電腦螢幕出現某個幾何圖形時，這個人就會被電擊，臉上露出痛苦的表情。影片播完後，受試者就開始做同樣的實驗，但被告知幾何圖形出現時不一定有電擊，它的機率由電腦隨機安排（電擊其實從不曾出現過，只是讓受試者誤以為會出現而已）。

實驗者比較受試者在看短片和等待自己被電擊時大腦的圖片，結果發現看別人和預期自己被電，大腦活化的部位一樣。難怪我們有「殺雞儆猴」、「殺一儆百」的成語，古人沒有看到大腦內的情形，卻從經驗上知道它的效果是一樣的。所以就算學生沒有親身下拔舌地獄，看DVD的效果是一樣的，因此不能說只是給孩子看，又沒有叫他親身嘗試，所以沒有關係。

其實這不但有關係，而且大大有關係。孩子的想像力豐富，有時他們想像的恐懼比實際的還要強烈。我小時候，媽媽向鄰居借了一本李費蒙（牛哥）寫的《湘西趕屍記》，她隨手放在縫紉機上，但是封面可怕的僵屍嚇到了我，從此我不論白天或晚上都不敢單獨經過縫紉機那個角落，如果一定要過，就很快的跑過去。我對童年事情記憶不多，但是這件事印象深刻，而且連帶對縫紉機也很恐懼，始終學不會踩縫紉機。

每個孩子對恐怖刺激的反應不相同，研究發現：同一張恐怖圖片，有的孩子看了沒感覺，有的會嚇到尿床，這是先天脾氣個性的關係。但是只要有孩子不想看，老師就不能勉強全班都要看，更不能說是學生要求的。學生才小學一年級，怎麼知道有地獄圖這個東西呢？這裡不是怪老師，因為不知者不罪，但是，希望以後師資培訓時能多一點兒童大腦發展與情緒關係的課程，讓老師知道，**傷害不因無心而減少後果**。

學習的兩大要件：情緒與動機

很多學生一聽到「學習」兩個字就皺眉頭，臉上顯出厭惡的表情，其實這是誤解了學習的意義。人從一出生就在學習，而且不管你願不願意，除非眼睛閉上睡著了，不然你是無時無刻都在學習。**學習不一定是指課業上的，任何改變你神經迴路連接的歷程都是學習**。嬰兒一張開眼，大腦皮質就開始活動，忙著將環境中的訊息收進來與過去已存在的相比對、分析，找出它的意義。沒有這樣不斷的吸收外界資訊，將它內化成自己的知識，再經由已內化的知識去更詳細蒐集分析外界知識，我們會成為一個什麼都不懂的廢人。

現在的我們其實是過去所有經驗的總和，我們可以從一個人的過去預測他的未來行為，最主要是每個人都是他過去行為的集合體。**我們的一舉一動、一言一行都會改變自己大腦中的神經連接，也會改變對方的大腦神經連接，即施與受者都會因**

為某一行為而產生改變——打人的人和被打的人他們的大腦都會因為「打」這個行為而產生改變。古人雖然不知道大腦的情形，但是要我們謹言慎行是對的，因為大腦真的會因行為而改變。

有個很好的例子可以讓我們了解，如果沒有背景知識，眼睛是有看沒有到。眼睛正常並不代表就能正常看到環境中的物體，它還需要過去背景知識的協助才能辨識。有個先天性視盲的人，在盲了四十年之後，因善心人士捐贈眼角膜重獲光明。雖然他可以看得見光，卻分辨不出物體：每一樣東西用看的都不認得，但是眼睛閉起來，用手摸時，他就能馬上說出物體名字，所以研究者知道了觸覺和視覺並不能直接轉換。他經過很長一段時間不斷的學習將手摸的感覺與眼睛看到的視覺聯結後，終於學會了看東西。但是他對三度空間還是不能理解，有一次他站在窗戶前跟他太太說：「對面人家為什麼掛了一條大白布？」他太太趨前一看，發現是鄰居的車道，因為陽光很強，照在柏油上反光，看起來是白的，使他以為是一塊大白布。他的兩隻眼睛沒有同時看到一個東西，沒有辦法學習三度空間。

從小貓的實驗上，我們知道三度空間的學習是在很小時就完成了，小豬、小羊、小鼠一出生就有深度感，不敢站在高處。我們從來不知道自己是什麼時候學會生活的一切，但是因為**眼睛、耳朵一張開，學習就在進行，所以我們不知不覺就會了。這種內隱的學習是我們學習的第一種方式，是最原始的學習**。事實上，我們小時候是非常喜歡學習的，我們總是迫不及待的想趕快睜開眼睛去玩，晚上即使很累了，也捨不得睡，希望再多玩一下。所以不要以為學習是無趣的，我們會不喜歡學習是因為它帶給我們壓力、恐懼。事實上，只要了解學習的神經機制，學習就不是這麼困難。

從大腦來說，學習是神經迴路的活化，一個刺激透過眼、耳、鼻、舌進入大腦時，它會激發一連串的神經迴路，我們的記憶就是神經迴路的連接，學習次數越多，它的迴路連接越強，下次要用時，活化的速度就越快，便能夠脫口而出了。所以很多人背書時一定要從頭背起，如果老師從中間抽背，一開始會顯得結結巴巴，接著才會流暢起來。原因是每個神經元都可以有一千個以上的連接，當半路被提起要背書時，這個神經元和別的不相干的神經元的連接才要被活化，所以會出現結巴不順暢，但是再多背了幾句之後，它又找到原來連接緊密的通路，背書便隨之流利起來。就好像走大路時可以走得很快，然而一旦偏離了主道，有一陣子要摸索，希望這條小路會連回大道，一旦上了大道，速度又可以快了起來。

就心理學而言，記憶是神經迴路的活化，而遺忘是提取線索的遺失。如果想背熟一個生字，你可以把這個生字貼在很多不同的地方，如：浴室的鏡子上，刷牙時可以看一下；廁所的水箱上，上一號時可以瞄一眼；冰箱的門上，找東西吃時可以背一下生字。總而言之，生字是看到的機會越多，記得越牢，因為每一次看它都會活化一次這個字的神經迴路，活化的次數越多，神經迴路連接得越緊密，下次起個頭它就像拎粽子一樣跑出來了。而且如果在許多不同的地方都看到這個生字，每個地方都是一條提取線索，即使其中一條斷了，還有許多條可以用。

外面有許多記憶補習班，他們所教的不過就是增加提取線索的強度而已。如透過聯想力將這個字與另一個已很熟悉的東西聯結在一起，或去特別找出這個字獨特的地方，當想起獨特的地方時，就聯想起這個字。**在這麼多增強記憶的線索中，最有效的就是「情緒」，它可以增加記憶強度，因為大部分的學習都偏重記憶，所以學習的兩大條件是情緒與動機**。

在神經學上要使學習有效必須先激發學生的動機，主動的學習才會使神經連接。**我們看到了終身學習的神經機制，大腦可以不停的因外界需求而改變內在神經的連接；又看到了動機才能激發神經迴路的活化，使學習在大腦中留下痕跡**。所以現在很多國家都在改變教育方針，如：瑞典和芬蘭都不再用紙筆測驗，而改用上臺報告的方式，只有真正懂才可能從嘴裡說得出來，知道自己在講什麼的人不需要看小抄。

學習最後的目的是造成行為的改變，從大腦研究中知道要改變行為應該從觀念改變起，所以現代的學習會比我們祖先的時代更有效，我們知道了學習的神經機制後，就能夠利用自己的長處去學，便可以事半功倍了。

後天的學習可改變先天的設定

我的孩子在美國念博士，我看到他的選課單中有視覺藝術的課，覺得很訝異。我知道他在大學時的通識課中已修過了，為什麼還要再修呢？他告訴我：老師說念電腦的人，平常接觸的都是0與1的程式語言，但是人世間很少事是絕對黑與白的，所以要他們去修藝術的課，因為藝術沒有絕對的答案，不但不是非A即B，而且很多的時候是有時A，有時B，或AB兼有。藝術的課多修一點，可以提升他們美學的層次，也幫助他們打開心胸，接受不同的事物。

我聽了很感動。英國詩人濟慈（John Keats）就說過：「**美即是真，真即是美。那是你在世界上所知道的一切，也是你只需知道的一切。**」老實說，這個美育就是我們現在最缺乏的，因為大家心中沒有美，所以萬事向錢看。撰寫此文時政府在談減稅，但是文化界強力提出每個家庭五千元藝文免稅的案卻仍在研議中，這件事從民間的看法是好事，政府若能把減稅額拿來做藝文減免，不但有剩，還會有提升全民美育的實質效用，何樂而不為呢？

現在學校裡教的一向是知識的智力，但是**在日常生活中，我們更需要的是反思的智力，這種看事情不是二分法的圓融能力會使我們的人際關係更融洽，工作更順利。這個反思的智力甚至可以改變先天脾氣所造成的人格**。

哈佛大學的心理學教授凱根（Jerome Kagan）曾經給一群四個月大的嬰兒每二十秒看一件新玩具，不停的看，結果發現有些孩子喜歡新奇的東西，很高興；有些孩子不喜歡，號啕大哭。他又趁這些嬰兒不注意時，在他們背後弄出很大的聲響，那些喜歡新奇事物的嬰兒會轉過頭去看發生了什麼事，而那些不喜歡新奇東西的孩子則嚇得大哭。

凱根推測這些退縮孩子的杏仁核（大腦皮質下一個類似杏仁狀的神經組織，是情緒的中心）過度活化，新奇東西與大的聲音對他們來說是過度刺激。大腦中的杏仁核偵測到不尋常、有威脅性的事物時，會活化起來，這條神經迴路活化低的孩子個性比較外向、好冒險；活化程度高則較易害怕、退縮。

多年後，當年被凱根認定為杏仁核過度活化的孩子已長大成人，他把他們重新找回實驗室，掃瞄他們的大腦。結果發現這些孩子（應該說大人，因為已經二十多歲了）的杏仁核仍然對不尋常的事物過度反應，跟他們小時候一樣，但是大腦卻能透過已經發育完成的前腦，以理智的方式處理這些過度反應，所以小時候很害怕會退縮的孩子有百分之七十發展出健全的人格。也就是說，雖然神經結構還是一樣，但是**大腦透過後天的學習可以用認知的方法改變先天的設定**。

人可以靠自我覺察來開、關或活化一條新的神經通路，這是大腦的新發現，也是藝術人文可以幫忙的地方。藝術教育所帶來的反思智慧，使我們可以控制原有的衝動或緊張反應，使自己的行為更合理。藝術教育的經費不但不能省，還應該增加，因為心智是所有行為的根本。

8 看得見、摸得著的心智結構

一九八八年諾貝爾物理獎得主利昂・萊德曼（Leon Lederman）曾說，科學是一條很辛苦的路，「長時間，少薪水」（long hours and low pay），那麼，為什麼還有人願意走呢？因為獲得新知的喜悅是別的東西無法比擬的。這種內在的驅力使得科學家埋首研究，常常不知外面世界的改變。一九〇四年諾貝爾生醫獎得主伊凡・帕夫洛夫（Ivan Pavlov）的助理有一次上班遲到，因當時俄國正在鬧革命，街上走不通。帕夫洛夫對他說：「下次革命時，早點出門。」

這種新知的喜悅在功能性核磁共振（fMRI）和腦磁波儀（MEG）等腦造影儀器發明之後，更是泉湧而出。我們現在可以在活人大腦中看到人怎麼作決策、有沒有說謊、怎麼處理悲歡離合的感情問題。過去的黑盒子，一點一點的被打開了，那種興奮真是不可言喻的。

現代科學家終於了解為什麼《亂世佳人》中的郝思嘉要說真話，因為**說真話時，大腦活化的是愉悅中心，而說謊話時，大腦活化的是厭惡中心**，難怪只要有良心的人，說謊後心情都不好。科學家也看到在感情上被人拒絕、在學校中被人排斥時，大腦活化的地方跟我們身體實際感到痛是同一個部位。過去看不見、摸不著的心智結構，如：道德信念、意圖、喜好，甚至意識，現在都漸漸在大腦中看到了。新科技挑戰了過去我們對人性的看法，也看到了為什麼中國人會說「人爭一口氣，佛爭一炷香」。

有個研究很有趣，實驗者給甲一百元，請他隨意跟乙分享，多少不拘，假如乙嫌不夠，他可以拒絕，這時甲的錢就被實驗者收回，兩人都沒有；但是假如乙接受甲的饋贈，那麼甲的錢就是一百元減去給乙的錢。例如：甲給乙三十元，那麼甲自己就拿七十元。就自我利益來說，不論甲分乙多少錢，乙都應該接受，就算只有一元，也比完全沒有好。但是實驗結果並非如此，只要乙覺得甲不公平，看不起他，就寧可大家都沒有；也就是說，乙心中一旦覺得不爽，就寧可自己沒有，至少也要讓甲沒有。實驗發現只要少於甲的五分之一，就有百分之七十六的人會拒絕；如果是三分之一，就有百分之六十七的人願意接受。

實驗者在受試者作決策時掃瞄他的大腦，發現受試者大腦的背側前額葉皮質（DLPFC）有大量活化，顯示認知在控制感情的衝動，假如這時用低頻率跨顱磁刺激（TMS）去中斷右邊背側前額葉皮質神經的活動，那麼，受試者就願意接受不公平的待遇，而且儘管他心中覺得不公平，他還是會接受，即意念與行為分開了。但假如甲是電腦而不是真正的人時，乙就願意接受電腦隨機分給他的任何錢，即使少於五分之一也沒關係。這就很有趣了，因為可見問題不是在錢，而是在感覺公不公平上。神經科學家很早就知道人不是理性的動物，但是用實驗這麼清楚的看到，還是頭一次。難怪英國哲學家羅素（Bertrand Russell）會說：「**有人說人是理性的動物，我這一生一直在尋找支持這個論點的證據。**」人真的不是理性的動物！

萊德曼說，雖然時間長、薪水少，但是只要這工作是有意義的，就沒有關係。**人生最美滿的事，是做自己喜歡做的事，有人付錢給你做，還求著你做。許多得諾貝爾獎的科學家都很長壽，大概就是這「樂在其中」的關係吧！**

長期受虐會改變大腦結構

中國人說「虎毒不食子」，但是從最近發生的幾件虐童事件看來，這句話竟是錯的，因為下毒手把孩子丟到鍋中去煮的、打斷掃帚柄的竟然都是親生父親，真是駭人聽聞。不可思議之餘，我們要問：為什麼現在有這麼多的虐童案？比人類低等的動物都有惻隱之心，打敗的動物只要做出臣服的姿勢——跪下來、頸子伸長「引頸待戮」，對方就會放牠一馬，為什麼人會對沒有自衛能力的親生孩子下這麼狠的毒手？

在實驗上，我們看到受虐兒長大後變成施虐者，美國威斯康辛大學的哈洛（Harry Harlow）教授將小猴子一出生就與母親隔離，給牠一個絨布的媽媽和一個鐵絲網的媽媽，絨布的媽媽溫暖，身上沒有奶瓶；鐵絲網的媽媽冰冷，身上有個奶瓶，小猴子可以吸吮。結果發現，小猴子所有時間都抱著絨布媽媽，只有肚子餓時才會過去鐵絲網媽媽那邊，一吃完又馬上回到絨布媽媽身上。如果給牠新奇的玩具，牠會一隻腳鉤著絨布媽媽的身體，盡量的往前延伸自己身體使能摸到玩具。所以孩子最需要的是安全感，父母的情緒不可以喜怒無常，使孩子無所適從。這些小猴子長大後，實驗者發現牠們不能正常的交配，用人工授精的方式讓牠們懷孕之後，牠們會把親生孩子虐待死，施虐的方式非常殘忍，用嘴咬、用手撕、把小猴從籠子頂往下摔，所用的手法也是令人匪夷所思。

當然更多的虐童案是來自同居人，這種「灰姑娘效應」（Cinderella effect）在動物界也常見，但人類社會的複雜，加上毒品藥物的衝擊，使虐童的事件越來越殘忍，令人怵目心驚。

我們不能再忽略影視媒體暴力的影響了。科學家已在受虐兒的大腦中發現他們聯結兩個腦半球的胼胝體比較小，小腦皮質的血流量比較少，因此他們常情緒不穩定，一點小事就大發脾氣。長期施虐竟然改變了大腦的結構，因此公權力對家暴事件一定要介入，不可再說「清官難斷家務事」了，因為現在不管，將來得付出沉重的社會成本。

研究者發現暴力有基因上的關係，在X染色體P 11的地方，但是基因的影響只占百分之二十九，其餘的百分之七十一是後天環境的潛移默化。一個孩子從小在家裡看到父母用拳頭解決事情，或在學校中被老師羞辱及體罰，這些負面的經驗會使他在潛意識中，認為打人是可以的，我父母都打人，我的老師、主任、校長都打人。他將來遇到挫折時，會想都沒想，手就伸出去打人了。

受虐兒變成施虐者是個可怕的惡性循環，一定要遏止。孩子是上天的福賜，許多人想要孩子卻要不到，有孩子的人應該要感恩。**父母不要把自己做不到的事投射到孩子身上，造成他的壓力，任何事只要超越孩子的能力就是壓力；也不要遷怒，把孩子當出氣筒。孩子是我們生命的延續，應該疼惜他、愛護他。**

從改變想法來改變心情

最近有個實驗很有意思，實驗者請受試者躺在核磁共振儀中看一張圖片，請她體會圖片中人的心情。乍一看，這是一張葬禮的圖片，教堂外面停了一輛滿是鮮花的靈車，一名妙齡女郎在旁哭泣，所以受試者感到悲傷，在看圖片的當時，實驗者掃瞄她的大腦。幾分鐘以後，實驗者跟她說，這張圖其實另外有意義，請她重新思考一下。這時受試者才發現，原來這不是葬禮而是婚禮，那輛滿是鮮花的車不是靈車而是車身加長的禮車，女郎的哭其實是喜極而泣。才一轉念，大腦活化的區域就全然不同了。

在重新思考時，前額葉某個區域活化得非常強，它抑制右邊杏仁核的活化，告訴它，不必悲傷，這不是喪禮。雖然是同一張圖片，我們對它的看法不同時，所引發的情緒不同，感覺也就不同了。所以痛苦不是來自事物本身，而是來自你對它的看法。這個實驗告訴你：**你有能力隨時改變自己的想法，決定自己的快樂**。人可以藉由意識（前額葉皮質）控制情緒（杏仁核），因此現在治療憂鬱症都是盡量教病人改變他原先對事情的解釋形態，從改變想法來改變心情。只要病人真心願意改，他都可以透過意志力做到。

我們常聽到別人說：「我就是這樣，這是我的個性，合則來，不合則去。」這態度是不對的，**人可以改變性情，因為情緒通常只維持幾秒，心情可以維持一天，但性情是終身打造，人可以從情緒著手，改變心情，最後穩定成性情**，只是看他願不願意而已。〈背影〉的作者朱自清知道自己動作慢，所以給自己取的字是「佩弦」，提醒自己要快一點。古人也在桌上放「座右銘」，來勉勵自己「苟日新，日日新，又日新」。

當我們可以實際看到大腦內部的工作情形時，就應該有碰到不好的事情時重新思考的智慧，跳脫原來的角度，登高再看。很多時候，我們只要跟朋友把剛剛發生的事，用語言陳述出來，情緒就會好很多。因為當我們把事情講出來時，便是重新評估了這件事，有可能發現剛剛太衝動了，自己的反應太快了。

額葉皮質跟杏仁核是相互消長的，人思考後就會冷靜下來，古人說「小不忍則亂大謀」就是這個道理。我們只要記住丹麥哲學家齊克果（Soren Kierkegaard）的一句話，每天都可以過得很快樂。他說：「**生命只有走過才能了解，但是必須往前看才活得下去。**」

快樂掌握在自己的意念中

現在很多年輕人一心「追求」快樂，甚至為了快樂犧牲做人的原則，殊不知快樂是個心理狀態，它是因對自己或他人的加值而從心中自然產生出來的感覺。在大腦中負責把外界經驗解釋為自己感覺的部位叫腦島（insula），在功能性核磁共振的實驗中，被人稱讚、幫助別人解決困難時，大腦這個部位會活化起來。

快樂不是客觀的條件，是主觀的內心感覺。例如：在路上撿到一百元，對豐衣足食的人而言，它連買個像樣的便當都不夠；但對飢寒交迫的人來說，至少可以維持三天的溫飽。同樣一百元，兩人的快樂感覺就不一樣了。因此，**中國人的快樂都是從「心」做起，孔子的「溫良恭儉讓」、司馬光的「訓儉示康」都是教孩子要勤儉，儉則寡欲，無欲則剛，不受人牽制。古人知道煩惱皆從心起，心安，快樂才會出現。**

如果快樂是由比較而來，那麼快不快樂其實是在於自己的心態。多年前在賓州讀書時，冬天大雪，窮學生沒有錢買車，只能步行上學。雪深及膝，行走困難，尤其雪被汽車壓過後結成很滑的冰，每天都得小心翼翼的走路，生怕摔斷了腿，無錢付醫藥費（那時候才真正體會到「如履薄冰」的滋味）。後來有同學拿到學位去就業，便把他的舊車送給我們，我們真是喜出望外，雖然車門被撞凹不能開，必須從窗戶爬進爬出，但是至少比在雪地中行走要好多了。這輛車一直用到我們自己出來教書，才傳給下面一位同學。做教授後，經濟寬裕了，買過許多車，但是這輛車帶給我們的快樂感卻是別的車比不上的。

快樂是比較的感覺還有另外一個例子：某甲向老闆要求加薪不成後，忿忿的說：「這樣吧！既然公司營運不好，不能加我薪，那麼你把乙的薪水減少一點，我就甘願了！」也就是說，薪水多少不是問題，只要我比你多就可以了。這是人愛比較的天性。

知道人性如此，不去跟別人比，快樂就自然產生。在腦造影的實驗中，給受試者看名車的照片時，他大腦中腦島和扣帶迴兩個掌管正向情緒的地方會活化起來；給他看名不見經傳的雜牌車時，大腦活化的地方便不一樣。因為腦島是我們動機驅力的所在地，只要沒有想要的欲望，就不會有要不到的苦惱。看到控制自己快樂的大腦地方，就更確定了快樂是掌握在自己的意念之中，人真是沒有理由不快樂的。

期待可以打敗焦慮

朋友的先生出了車禍，前額葉皮質受傷了，她打電話向我抱怨：「他以前是個囉唆婆，擔心這個、擔心那個；現在，什麼都不煩心，好像天塌下來總會有別人頂著。」我說：「那不是很好嗎？」她說：「可是他也失去規畫的能力，問他今天下午要做什麼，他都答不出來。」她所描述的正是這種病人最顯著的症狀。透過這些病人，我們才了解原來「焦慮」是跟「未來」有關，不能想到未來，焦慮也就消失了。

演化要我們未雨綢繆，總是去想未來，但是未來充滿不確定性，所以不分中外，人都喜歡算命，雖然算命不一定準，但是多知道一點未來的訊息，心比較安。人對確定性的需求可由下面這個實驗得知：將自願者分成兩組，都接受二十次電擊，一組是二十次強電擊，另一組是隨機出現三次強電擊、十七次弱電擊。結果，弱電擊組的心跳比較快，汗流得比較多，比較害怕，因為他們不知道什麼時候強電擊會出現，無法預知未來，所以比另一組更焦慮。

要去除這種不確定性的焦慮，唯一的方法就是爭取主動，如果操之在我，這個不確定性就大大減少了。美國的研究發現，大企業中，職位越低的人，消化系統的毛病越多，大老闆天威難測，小職員每天戰戰兢兢，不確定性太高，日子難過。

演化雖然使我們容易焦慮，但是它同時也給了我們一個補救的方法，就是當痛苦的結果是愉快時，我們會忘卻前面的痛苦，只記得後面好的感覺。有一個實驗請自願者把手伸入冰冷的攝氏十度水中六十秒，同時用電子量表回報他的不舒服感覺；同一個人在另一個實驗情境中，是要把手浸在水槽裡九十秒，前面的六十秒是十度的水，但是後面的三十秒水溫升到攝氏十五度，所以長、短組都是六十秒的冷水，但是長組外加三十秒的溫水。在當場，長組比短組痛苦，但是在做完實驗五分鐘後，實驗者問如果再做一次，他們要選長組或短組時，竟然有百分之六十九的人願意選長組，因為長組最後三十秒是比較不痛苦的。我們的大腦記住了最後好的感覺，這就是為什麼女人生孩子那麼痛，下次還敢生，因為她只記得美好的結局，過程的痛苦會忘掉。

看到大腦的這些特性，我們可以想辦法減少自己的焦慮，若是無法爭取主動，可以在腦海裡放一些最喜歡的歌、最想做的事、最喜歡吃的東西，**「期待」會激發大腦中的多巴胺，多巴胺跟正向情緒有關，所以雖然造命者天，立命者仍然是我，把握住這點，人就不會憂鬱了**。

13 大腦對「自己人」的差別待遇

最近有個研究很有趣：實驗者請中國人和美國人看一些別人痛苦的圖片，然後用核磁共振儀掃瞄他們的大腦。結果發現中國人在觀看中國人受苦時，大腦前扣帶迴（anterior cingulate gyrus）活化得比看美國人受苦時強，反之亦然。同時，看到自己的朋友受苦時，不論國籍，只要是屬於自己小圈圈的人，前扣帶迴的活化就比看到不認得的人受苦時來得強。這真是一個令人茅塞頓開的發現，它解釋了很多我們日常生活所看到的現象。

我們都有這種經驗，辦任何事，只要跟辦事人員扯上關係，不管這關係多麼遙遠，就方便得多，哪怕那個人是你同學弟弟的同學，或是你表嫂妹妹的同事，只要牽親帶戚沾上一點邊，就會得到不同的待遇。四十年前有個外國人寫過一篇〈中國人的人情味與公德心〉，他說中國人是挺有人情味的，只不過你得先跟他扯上關係才會享受到這個人情味，不然就公事公辦了。

我們對「自己人」的認同是走到哪裡都會看到，同鄉會就是一個例子，「親不親故鄉人，美不美故鄉水」，本來不打算幫忙的，聽到熟悉的鄉音就伸出援手了。《七俠五義》中，黑妖狐智化去盜「九龍冠」時，就是打扮成逃荒的「王第二的」，藉著鄉音套關係，讓挖御水河的工頭王大帶他進紫禁城去做工，探明了四值庫才順利偷到寶。一個完全不認得的人，只因同鄉，就願背負著被查到會砍頭的大關係，帶陌生人進紫禁城，這小圈圈的認同力量實在太大了。

研究者發現這種認同行為有演化上的關係，六百萬年前人類祖先從樹上下來時，因為沒有尖牙利爪，又只有兩條腿，跑不過四條腿的，因此必須群居，靠群眾的力量一起抵禦外侮，所以團結是生存必要的條件。但是人心隔肚皮是看不見的，因此演化出血濃於水、只相信自己人的現象。非我族類，其心必異，既然長得跟咱們不同，又不認同咱們，那麼趕盡殺絕是理所當然。所以人會不自覺的模仿團體中多數人的行為，這是自保。動物的保護色以及昆蟲的擬態都是為了融入環境，使不顯著，以免鶴立雞群成為攻擊的目標。

有個實驗：實驗者將最強壯的土狼身上塗上一點紅油漆，結果發現牠一定會成為下一波獵食的犧牲者。當獅子一衝入狼群時，狼群四處奔逃，牠有一剎那是眼花撩亂，這一剎那的時間就足以使年輕力壯的土狼逃過一劫，但是身上有了紅點，是個顯著目標，獅子鎖住目標後，獅子跑得比狼快，這隻狼就沒命了。所以**在團體中，外表要盡量跟別人一樣，這是保護色，行為也要跟別人一模一樣，這是擬態，只有被當作圈內人才是安全的**。這就難怪青少年要奇裝異服了，因為這是他對他們族群的認同。

看到人的大腦對「自己人」的差別待遇後，不禁感到古人的偉大。三千年前我們的祖先就用教育的方法來使我們超越動物的本性，倡導「天下為公」的理想社會，真是太有遠見了。

14 大腦會主動修正認知失調

人是種奇怪的動物，不能接受別人的批評，也不能接受自己的批評，如果自己上了當或做了蠢事，哪怕別人並不知道，也要想盡方法為自己的愚蠢辯護。在心理學上，這叫「認知失調」（cognitive dissonance），人會用各種方式把自己的行為合理化，因為任何知識、感情或行為上的不一致性，都會引起內心世界的不安，人不喜歡不安的感覺，尤其不能接受自己是愚蠢的事實，所以就必須把責任推給別人或找各種藉口重新解釋這個情境，以達到內心的平衡。科學家現在知道為什麼會有這種不合理的行為了，他們在大腦中找到了和這個行為相關的神經機制。

這個實驗的作法是請受試者躺在核磁共振儀中四十五分鐘，做一些很無聊的作業，因為儀器內空間很小，又有機器的噪音，是很不舒服的。等確定他們不舒服後，實驗者請他們對一些句子，如：「我在掃瞄機內覺得很平靜安祥」等做反應，同時出現一個一到六的量表，一是完全同意，六是完全不同意這句話。由於躺在儀器內的受試者看不見自己的手，為了避免錯誤，量表的一到三為左手按鍵，四到六為右手按鍵。等看了五個句子以後，實驗者就告訴受試者，從現在起，面對所出現的句子不論心中怎麼想，都要假裝很喜歡它，而每一次這樣做，實驗者就會多付他一美元的酬勞，這是控制組的作法。

實驗組的人也是要對目標句做反應，但是實驗者告訴他，現在外面控制室中有個人等著要進來做這個實驗，這個人對核磁共振非常恐懼，他很緊張和焦慮。實驗者請求受試者盡量對有關掃瞄機內情況的句子做正向的反應，假裝真的很喜歡躺在這裡做這項作業，來幫助外面那個人放鬆，因為外面那個人可以從電腦螢幕上看見裡面的反應。

結果發現這兩組受試者態度改變時，大腦背側前扣帶迴（dorsal anterior cingulate cortex, DACC）和前腦島（anterior insula）都有活化，但是實驗組的活化程度大於控制組，代表他們態度改變的程度比較高。因為大腦背側前扣帶迴是大腦中偵察行為或事件有無衝突的地方，而腦島跟情緒的自動引發有關，所以內外不一致時，大腦背側前扣帶迴就活化起來了，腦島連接前額葉（大腦思考）和邊緣系統

（情緒），所以不安的感覺就出來了，這時大腦就得趕快想辦法改變一下說詞使內外一致。

在日常生活中，我們發現越是上過當的人越會特別賣力去說服別人，因為他不能承認自己竟然花那麼多錢做冤大頭。因此，明明不好，也要假裝很好。前一陣子的吞火潛能開發班，有一些父母出來宣稱真的有效，使其他的父母也帶著孩子去報名就是一個例子：這些父母並不知道自己這樣做的動機，原來是反映出大腦內部解決衝突的一個方式。

這個實驗從腦神經的運作歷程，逐漸解開了很多人類不合理行為的謎，使我們對人性多了一些理解。

15 判斷力的腦科學實驗

中國人說「合」字難寫，跟別人合作時，總是覺得自己做得多，人家做得少。一旦有了這種感覺，在分紅時，就覺得我做得比他多，怎麼分到的錢跟他一樣？這個不滿會像暗室中的草菇，生長得奇快，一旦充滿胸腔，不久就會拆夥了。最近科學家發現這是因為我們仰賴記憶來做判斷的緣故，而我們的記憶是偏頗的，它是以自我為中心做出發點，來組織周邊發生的事情，所以它只記得對自己有利的訊息，把對自己不利的就以「不相干」、「不是這樣解釋」拋到九霄雲外，於是人就越來越自以為是，別人都是錯的了。

最近的研究更發現我們**對事情的判斷不但受到記憶的影響，還受到當時情境中不相干因素的影響**。諾貝爾經濟獎的得主康納曼（Daniel Kahnman）曾經做過一個實驗：他請受試者隨機抽出一個從1到100之間的數字，然後問他一個跟這數字完全無關的問題，如：「聯合國有多少非洲國家的席位？」大部分的受試者都不知道正確答案，因此用猜的。想不到他們的猜測居然受到這個隨機數字的影響，假如這個數字是10，他們就猜大約占聯合國國家總數的百分之二十五；如果這個數字是65，他們就猜百分之四十五，非常令人不解。

康納曼說：人在猜測時會不由自主的從那個數字開始尋找，直到他們覺得差不多的時候就停止，然後報告出來。所以看見10這個數字，他們覺得有點太少，就往上加，加到百分之二十五，覺得差不多了就停下來；如果看到的是65，覺得這個數字太大了，就往下減，減到45，覺得差不多了就報告出來。因此起始點低的人會停在可能範圍的最高點，而起始點高的人會停在可能範圍的最低點。照說，如果我們認為這個可能範圍是在25到45之間，我們應該選擇35，因為這是上下兩點的平均數，最有可能正確，但是顯然人並不是這樣做的。

研究更發現，我們的判斷甚至受到不相干情緒的左右。有一個實驗叫慣用右手的人用左手盡快的聽寫出一些名人的名字，同時要他的右手掌心朝下用力壓在桌面上；另一組則是右手掌心朝上托著桌子的底部，做同樣的聽寫。聽寫完後，實驗者問他們喜不喜歡剛剛所寫的名人，結果發現右手向下壓的人「不喜歡」的次數多，而右手向上托的人「喜歡」的次數多；因為前者是個負向的手勢，而後者是個正向的手勢。我們的喜好居然會受到完全不相干情緒的干擾，令人訝異。

古人在做重大決策時都要先沐浴淨身、齋戒三日，原來「正心誠意」會使自己比較不受周邊環境無形因素的干擾，進而影響自己的決策。古人有很多經驗上的智慧，我們現在才慢慢了解它背後的原因。有人認為腦科學終究可以將人性剝繭抽絲分離出來，透過這些有趣的實驗，或許有一天我們能了解人之異於禽獸的那個「幾希」了。

16 他們的靈魂住在明日之屋

有位媽媽把孩子打得遍體鱗傷，警察來到時，她振振有詞的說是因為「恨鐵不成鋼」才會把孩子打成這個樣子。我看到這則新聞非常恐懼，這個觀念大錯特錯，孩子一定要先是鐵，打了才會成鋼，如果根本不是鐵，打死了也不會成鋼。父母不能不論孩子本質是什麼，就一味要求他和別人一樣，更不能因孩子的表現不如自己預期而痛打孩子。

孩子開竅的早晚有基因上的關係，如果父母小時候就是學習得比較慢，那麼現在孩子學得慢可能是因為他成熟得晚，不是他的錯。晚熟並不代表笨，只表示時候未到，當他成熟後可以和別人做得一樣好。

「成熟」這個觀念非常重要，它是「水到渠成」，時間到了、發育好了，孩子自然會做。在成熟之前要求他是強人所難，任何事情超越孩子的能力就是壓力；太多的壓力孩子會恐懼而逃避，學習的效果反而不好。每個人大腦成熟的時間和快慢是不一樣的，很多大器是晚成的。同卵雙胞胎的大腦造影圖片也顯示雖然來自同一個家庭，但是在做同一件事情時，大腦活化的區域仍然不同，因為他們後天的經驗不同。因此，**父母不能拿孩子跟別人比，他的基因跟別人不同，後天的環境也不同，這樣比不公平。只要今天比昨天有進步，就該鼓勵他，孩子只能跟自己比。**

黎巴嫩詩人紀伯倫（Kahlil Gibran）有一首非常好的詩：

你的孩子不是你的孩子，他們是生命自己的孩子。
他們透過你來到這個世界，他們卻不屬於你。
你可以給他們你的愛，卻不能給他們你的思想，
因為他們有他們自己的思想。
你可以提供他們身體的住屋，卻不能替他們的靈魂找房子，
因為他們的靈魂住在明日之屋，那是你即使在夢中也無法到達的地方。
你可以努力像他們一樣，但是千萬不要使他們像你一樣，
因為生命是無法逆轉的，更不能被昨日的你所耽擱。

任何事情不論多微小，只要超過孩子的能力就是壓力，過長、過大的壓力會殺死海馬迴的細胞，使孩子的記憶衰退。**不要叫孩子圓你的夢，因為那是你的，不是他的；更不要常說「你讓我很失望」，這種話，那只會使孩子放棄自己**。心理學上有個著名的實驗：當一隻狗怎麼做都不能改變環境時，牠會放棄嘗試，到後來環境改變了，牠有機會可以翻身時，牠也不會去做，因為牠已經習慣牠的悲慘了。

「先前的經驗會決定後來的行為」，這是我們最害怕的地方。看到現在小學生也要上小夜班，補習補到半夜才能回家，就深覺臺灣家長的觀念一定要改，如果我們百分之七十五的國小三、四年級學生放學後不是回家，而是去補習班，就難怪最近的調查發現國中以上的人，五個有一個曾經想過自殺了。紀伯倫的話是對的，**孩子透過我們來到人間，但他們不是我們的化身，不要因昨日我們的觀念去限制明日他的發展**。

第五篇

溝通力

溝通力

別讓3C產品奪了你的人際關係

連日陰雨，終於放晴時，陽光顯得特別溫暖，我忍不住放下手邊的工作去外面晒一下太陽，我們很需要陽光，因為陽光可以補充身體所需的維他命D和K。

我在街上走著，突然看到一個媽媽一邊推嬰兒車，一邊看手機，差點撞上一位坐輪椅的老先生，因為推輪椅的外籍看護也在看她的手機，兩人的眼睛都不在看路。我的驚叫，使她們兩人同時抬起了頭，避免一次意外。

走進公園時，看到一個媽媽抱著嬰兒在餵奶，但她另一隻手卻在看手機，我很驚訝，連餵奶也捨不得放下手機，這真是太過分了。研究發現媽媽在替孩子餵奶或換尿布時，最好要跟孩子說話，因為眼睛的接觸、溫柔的語氣會帶給孩子安全感，同時另一隻手的撫摸會增加她大腦激乳素的分泌，產生親子的聯結。

孩子語言的發展不但要聽得到，還得有機會說。曾有個聽力、發音器官都正常的孩子到三歲還不會說話，原來他在家中不需要講話，沒有機會去練習他的神經和肌肉。現在家庭吃飯都很安靜，各玩各的手機，頗有雞犬相聞，老死不相往來的味道，這對孩子大腦的發展很不好。

法國現在規定：禁止十五歲以下的學生在校園內使用手機、平板電腦等3C電子產品；英國也規定：十一歲到十六歲的中學生在學校的時間必須把手機鎖在置物櫃中；很多澳州和美國的學校也禁止使用手機。學校還發現，在禁用手機之後，學生交談的次數變多了，人際關係變好了，這一點就值得我們好好思考臺灣是否也應禁用手機。

在二十一世紀，人際關係是孩子在職場成功的重要因素，有人開玩笑，AI可能取代所有的行業，包括過去很紅的醫師、律師、會計師三師領域，但是有一個行業不但無法取代，還會越來越紅，那就是心理治療師，因為機器人不會替你擦眼淚。現代的父母必須了解在二十一世紀，孩子的EQ比IQ更重要，在教養上不要失了榫頭。

美國曾經有個外科醫生因不能控制他暴怒的情緒，在離婚後，持槍到他前妻家綁架他的兒子，被判二十年徒刑。我聽到這消息很感慨，因為培養一個醫生不容易，尤其是專司器官移植的外科醫生。這位醫生當年的功課很好，但是人際關係不行，加上不會控制情緒，使得十年寒窗的苦讀和父母、國家的栽培都付諸流水。

現代人過馬路看手機已不是新聞，但是連餵奶，眼光都捨不得離開螢幕，倒是第一次看到。最近教育界在討論校園中３Ｃ產品的使用，或許應該從大人身上著手才會有功效。孩子會模仿父母，因為大腦中的鏡像神經元是孩子一出生就在運作，我們若不從父母行為規範起，卻要求孩子不玩電玩，豈不是緣木求魚？

孩子是我們一生最大的投資，在跟孩子相處時，請把眼睛放在孩子身上，讓他知道你關心他、在乎他。孩子長大得很快，不要因為手機上那些可有可無的訊息讓自己遺憾終身。

溝通力

2 解開說謊孩子心中的結再感化他

一位讀者來信說他的孩子很喜歡說謊，已經小學三年級了，怎麼打罵都無效，打時會跪地求饒，打完照舊說謊，他很頭痛，不知該怎麼辦。其實一個行為的出現，背後一定有原因，我們應該先看一下原因。

從大腦造影實驗中，我們看到人說謊時，大腦活化的部位跟給受試者聞阿摩尼亞（氨水）是同樣的地方，那個地方是大腦的厭惡中心。所以我們知道，雖然他嘴裡不承認，心中其實是不齒這個行為的，這時，我們的氣可以先消掉一半。那麼，既然不齒，為什麼又會做呢？那就是我們大人必須了解之處了。

一般來說，孩子應該有個很強的欲望無法達成，所以才會想盡方法去完成它，包括欺騙在內，如：有某個玩具實在很想要，但父母不准；或很想吃某個東西，父母不准；或考試考得很爛，不敢給父母知道；或同學一起要去玩，而父母不准……。知道說謊的原因（父母不准而他想要）以後，對症下藥就比較容易了。從某個方面來講，是我們逼孩子說謊的，因為我們沒有善盡溝通的責任，既然是他要而我們不准，其中必有道理，我們應該好好解釋給孩子聽。**要從根源上讓他知道為什麼這件事不能做，然後幫他找出替代的方案，使他的欲望減低。同時還要長期的監督，使壞行為無機會出現**。因為大腦神經迴路是越使用，其聯結得越緊，若長久不用，聯結會慢慢鬆開。所以父母管教的方式要一致，絕對不能媽說不行的，爸說可以。孩子是非常精靈的，他馬上知道如何討好父母、操弄父母之間的矛盾，管教就破功了。

說道理讓他知道為什麼這件事不可做、它的後果如何，是要花很多時間和心力，但是這個投資是絕對划得來的，只有心悅誠服、自己決定要改，這個習慣才改得掉，不然陽奉陰違是無效的。我的孩子小時候不喜歡刷牙，不盯就不刷，還會騙我刷過了。我帶他去看我補牙，令他看到小時候不刷牙，長大後一輩子受苦，於是他就不敢了。我小時候牙刷很貴，牙膏更貴，同學中很多人是用手指當牙刷、用鹽刷牙的（後來才知道古人還用楊柳枝刷牙），而且那時沒有正確的衛生概念，所以我們那一輩的人，牙齒常不好。我讓他看到補牙的痛苦後，從此他背包裡放著一把牙刷，任何時候，只要吃過東西就刷。而且我告訴他，刷牙是正確的行為，不是娘娘腔，不刷牙才是自作自受，自己受苦。所以他在出外應酬時，吃過飯就會自動站起來去洗手間刷牙，不在乎別人異樣眼光。

因此對說謊的孩子，先要找出是什麼驅力驅使他去做父母不喜歡的事，然後看這件事有沒有辦法兩全其美，在你能接受的範圍內，讓他達成願望。如果真的不行，再看有沒有其他可接受的替代方案。最重要的是，**當父母肯聽孩子說話時，孩子會感到父母的愛心，內心會湧出一股力量使他向善**。很多人不做壞事，是因為他不願使他的父母傷心，做到這一步，教養就成功了。我們只要看說謊的孩子頭都是低著，不敢正眼看老師就知道了（說謊時，人的瞳孔會放大，這也是一個人性本善的指標，演化居然讓我們在做壞事時有生理的反應出來）。

要改變一個壞習慣需要父母持之以恆的努力，更要用愛心化解它。所以對孩子說謊不要驚慌，不要打他，要感化他。

溝通力

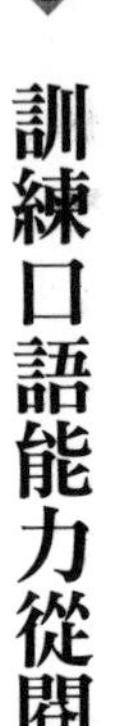

3 訓練口語能力從閱讀著手

我父親以前常跟我們說成功需要天時、地利、人和，但是前二者操之在人，自己不能控制，只有最後一項操之在己，只要虛心有禮就能得到別人的幫助。長大後，我的確看到人和的重要性，所謂「兄弟同心，其利斷金」。其實「人和」就是溝通的能力，講話不得體或時機不對都會得罪人，但是最近發現學生連最基本的講話都有改進的空間，他們上臺作報告時，句子都是不完整的，而且缺乏邏輯性，讓底下聽的人很辛苦，不知所云。

仔細追究原因才發現，我們的學生從小到大，幾乎沒有任何口語訓練的經驗，老師很少叫學生起來回答問題，演講比賽也都是特定幾位同學代表參加，學生除了日常生活的話以外，幾乎沒有正式把自己意思完整說出來的機會。加上現代學生多以 LINE 溝通，用的都是片語而非完整句子，結果雪上加霜，學生就更不會完整的表達自己了。

口語表達能力在二十一世紀很重要，因為時間就是金錢，別人沒有時間慢慢揣摩你句子背後的意思，聽不懂時，別人掉頭就走，沒有第二次機會。因此李光耀在二〇〇〇年時說：「新加坡的國民必須有良好的閱讀能力和正確表達自己意思的能力，才能在二十一世紀跟別國競爭。」看到我們學生說話詞不達意，就如他們寫的作文一樣，跳躍式的，沒有連貫性，我實在很憂心。

訓練口語能力其實不難，只需要從閱讀著手就可以，因為孩子在閱讀時，是有把聲音念出來的，只是念在心裡，沒有出聲而已。加州大學心理系的教授佩崔諾維其（L. Petrinovich）曾經做過一個實驗：在學生閱讀時，把微電極放在喉頭聲帶附近，測量喉頭肌肉的活動。他發現越小的孩子默讀時，喉頭肌肉動得越大，表示他在把這個字默念出聲，延長這個字在大腦工作記憶處理的時間，以幫助理解；成人在閱讀報紙或小說時，喉頭肌肉動得很少，幾乎看不見，但是在閱讀困難的文章，如：愛因斯坦的「相對論」時，喉頭肌肉便動得很明顯，表示大人對艱澀的東西也只好借助工作記憶的語音本質來延長訊息在工作記憶處理的時間，以達到了解的目的。

因此，我們**可以藉大量的閱讀來幫助各式各樣的句子神經迴路的活化，使成強固的迴路連接，將來要用時，便可脫口說出，即所謂「出口成章」**。古人說「腹有詩書氣自華」便是這個道理，既然成竹在胸，已經知道該怎麼說了，自然氣定神閒、不慌不忙、有條有理的把話說出來，別人就感到這個人談吐雍容大方了。

因此，現在有兩個很容易的方法可以訓練孩子的表達能力，一個是鼓勵他廣泛閱讀，書寫的句子是完整的，先讓他們熟悉完整的句子，以便隨時提取出來用；另一個是盡量讓孩子把話說完，不要打斷他。孩子因為說話慢，常常話未說完，大人注意力已轉移了。這種不耐煩的態度會使孩子感到不受尊重，久而久之就更不想開口了。

在適當的時候說適當的話非常重要，但是更重要的是能正確表達出心中的意思。**天時、地利我們不能控制，但是我們至少可以把孩子表達的能力訓練好，給他「人和」的本錢**。

用欣賞的眼光看待你的孩子

西諺「教養孩子是藝術，不是科學」，真是對極了，因為科學講究重複性，同樣的實驗步驟，會得到同樣的結果，不會因人而異；但是藝術是有個別性的，在藝術上找不到兩件一模一樣的作品，就是同一個人做的，也會有些微的不同。所以藝術比賽的評比一定是採多數決，雖然各人眼光不同，但是英雄所見略同，評審結果不會差距很大。因為每個孩子都是國家的棟梁，只是在不同的領域服務而已。

在教養孩子的過程中，最重要的是親子溝通，只要孩子肯來問父母，父母的經驗和知識就能傳給他。我們最怕的就是孩子不來問父母而去問他的同學，他的同學與他同樣年齡、同樣經驗，出的都是餿主意，很多小錯變大錯就是因為如此。所以在教養孩子的過程中，只要能維持良好的親子溝通，就不會有青春風暴。**只要孩子知道，不論發生了什麼事，一旦告訴父母，父母就會與他一起面對，他就會敢講。**

而且這種有人可依靠是一種非常好的安全感，這種安全感使孩子長大後敢去探索新奇的環境，敢去陌生領域創業。

我很幸運，我孩子長到至今，沒有所謂的青春風暴期，即便離家去讀大學，每天仍有一封電子信報平安，告訴我他生活上的點滴，所以雖然他不在身邊，感覺上好像還是在家一般。我不曾見過他的同學，但是對他們也覺得很熟悉，因為在他的信中聽多了。男生一般不喜歡多話，要維持這種親子關係須從小做起。回想兒子小的時候，每天接他放學回家，就是我們最快樂的時光。美國的小學都在社區之中，走路不會超過十分鐘，但是邊走邊說話，尤其孩子特別喜歡走不曾走過的路，有時要走上半小時才能到家。

他常在路上問我一些奇奇怪怪的問題，有一天在回家的路上，他問我：「媽媽，貝比是怎麼來的？」我一驚，心想：完了，該來的總是要來的。正在琢磨該怎麼跟他講性教育時，他自言自語的說：「我知道，多吃蔬菜，多洗手，早早上床睡覺，不遲到。」我忍住笑說：「對，對。」本來也是要先長大才能製造貝比出來，不是嗎？

兒子的頭髮從小是我剪的，因為早期的留學生必須會三刀：菜刀、剪刀、剃頭刀。我發現替孩子剪頭髮是個很好的親子溝通時間，因為他圍著髮兜坐在板凳上，跑不掉，我又拿著剪刀站在他身後，這時，真是問什麼他都會誠實的回答。我常常故意慢慢剪，利用這個機會問一些比較深入的問題。有一天，他放學回來，表情嚴肅；吃飯時，心神不寧，一口飯吃了老半天都沒有嚥下去，我就知道有不對了；吃完飯，做功課時，我看他呆坐在書桌前面，半天書本都沒有翻一下，就知道更不對了。正要去問他發生了什麼事時，他就自己來跟我說：「媽，你看我頭髮是不是該剪了？」我立刻說：「果然不錯，你頭髮太長了，趁我現在有空，我們來剪。」

我拿了剪刀站在後面假裝替他剪（因為上個星期才剪過，實在不長，沒什麼可剪），我一邊剪一邊問他學校的情形，問來問去得不到結果，裝模作樣一陣子後，他還是沒有開口，我就有點不耐煩，因為我還有很多事要做。正要發火時，他突然問：「媽，什麼是同性戀？」原來他在學校中看到一個他很尊敬的學長，做了一個他認為是不可以做的行為，震驚之餘，內心產生極大衝突，他就吃不下飯了。

我立刻放下剪刀，拿出醫學的書，從大腦發展的圖片中跟他解釋同性戀的成因，讓他看到胚胎六週時，荷爾蒙的作用，同性戀是大腦的原因，跟這個孩子的人格無關，不可以歧視同性戀的人。解釋完後，我看他鬆了一口氣，就去做功課了。

所以親子溝通管道的暢通很重要，要讓孩子不管什麼事都敢跟你講才行。

要做到這一步其實不難，只要不一直潑孩子冷水就可以了。我們都不喜歡跟唱反調的人說話，就算孩子說得不對，也要先耐著性子，等他把話說完再糾正他。假如我們自己話沒有說完就被別人打斷說「你不懂」、「你不對」，我們也會覺得很挫折。其實等人講完話再回應是一種禮貌。即使聽完了不同意，對方的感受也不會那麼差。

最重要的是拒絕孩子要求時一定要講理由，因為國中生智慧已開，有自己的想法，若不能說服他，使他心悅誠服，我們很難改變他的行為。如果你不肯，而他想做的動機很強，他就會偷偷做，開始瞞騙父母後，他會盡量不跟父母講話，因為言多必失，他怕不小心會說漏了嘴，親子關係就生疏了。所以不能讓孩子開始瞞騙父母，而這個關鍵其實是父母，也就是說，**當孩子跟你講話時，先讓他講完；在拒絕他時，除了講理由，也要幫他找其他可行的替代方案**。

父母可以在平日閒談中，將自己的價值觀告訴孩子，就算他不認同，至少知道你的想法是什麼。美國的孩子很早就約會，但是我的孩子從來不曾約過女生。有一次我問他看到別人約會會不會羨慕？他說：「不會，因為交女朋友很傷神，要刻意去討好她，還要花錢買禮物。」我就知道他這方面還未成熟，不用擔心。但是我會藉親友孩子結婚的機會，告訴他找終身伴侶的意義：錢財、外表都會隨風而逝，只有實質內涵不變。我告訴他觀察女孩子跟她家人講話的態度，觀察她對街頭小販、拾荒者的表情來看她的人品……。有一天，他的同學來家中玩時，跟我道謝，因為他娶了個好太太，擇偶的條件是我平日告訴我孩子的話。我才發現平日跟孩子聊天，其實是有作用的，他既然會去教同學，表示他自己有聽進去。

國中是個很困難的階段，因為性荷爾蒙大量分泌使身體改變，情竇初開，又使情緒不穩，加上課業壓力重，若無宣洩管道，這段日子會很難捱。在這時期，盡量讓孩子交志同道合的好朋友，沒有什麼比考不好一起挨打、一起吃板子使孩子更認同彼此了。父母要盡量擠出時間帶孩子去爬山運動，增加親子的感情。最重要的是肯定他，他是你生的，理論上來說，壞不到哪裡去。父母只要記得蜜糖捕捉到更多的蒼蠅就好了，不要讓孩子怕你。

每個孩子都是父母的寶貝，既然是寶貝，哪有人看到金銀珠寶不是眉開眼笑的呢？**用欣賞的眼光看你的孩子，他會以更高的成就來報答你，因為所有孩子都是希望取悅父母的**。這樣，他的青春叛逆期就平順度過了。

5 作文三多：看多，做多，商量多

有同學寫信給我說老師評他的作文「沒有條理」、「雜亂無章」，他問該如何練習才會有條理？這真是一個重要的問題，因為沒有條理的東西，別人看不懂。那怎麼訓練呢？我所知道**最好的訓練作文方法是講故事**，當你要講個事件給別人聽，別人要能追隨你的思想脈絡，不但聽得懂，還要聽得津津有味、不忍離去時，你就成功了。

我小時候，臺灣經濟尚未起飛，很少人家中有玩具，我們最好的玩具就是同年齡的玩伴，加上臺灣那時還沒有電視，電也很貴，很少能夠像現在這樣家家大放光明，通常入夜以後，房間的照明就是天花板上一盞燈而已，並沒有檯燈或各種其他的燈。所以我們都是天黑就去睡覺，天一亮就起來，用日光來讀書。在床上該睡還睡不著時，我們就輪流說故事，打發時間。

我家情況更特別，是因為我父親很用功，晚上要看書寫書，所以家中要保持安靜，不可以吵鬧。要維持六個孩子不吵鬧最好的方式就是講故事。我母親若得閒，她就念《西遊記》給我們聽，若不得閒，我們這些大的就要負責編故事講給小的聽。我們那時是大家庭，自己的姐妹、親戚的孩子，大家都睡在榻榻米上的蚊帳內，每天都比賽誰說得好。我記得那是一段很快樂的時光，讓想像力發揮，上窮碧落下黃泉，盡情飛翔，化成語言，讓別人與你同樂。

當沒有故事可講時，我們就玩「接龍」的遊戲，有單字詞接龍、成語接龍，凡是想得起來的東西都可以接龍，還可以講相反詞、同義詞，看誰講得快、講得多。經過這種訓練後，我作文時，很少像同學一樣搜索枯腸，想不起有什麼話要講，只要想像在跟姐妹們比賽，字就跑出來了。

後來去美國留學時，有一次在電視上看到一個人可以把別人講的句子倒過來講，如 GOD，他就說 DOG，連很長的句子也都難不倒他，觀眾很驚訝他有這麼好的記憶力，在他表演完後報以熱烈的掌聲。記者訪問他時，他說他成長於美國北部的蒙大拿州，冬天很冷，大雪封山，天又黑得早，無事可幹時，他父親就在家中跟他和他弟弟玩這個遊戲，他們把他母親講的每一句話都倒過來說，以消磨永夜。沒想到越玩越精，到後來不費吹灰之力就可以把整個句子倒過來說了。

在這裡，我們看到熟能生巧的神經機制，練習就是把本來不連在一起的神經迴路連接在一起，連接得緊密了，下次要提取時，會像煮粽子似的，抓著一個頭，一提，一串就出來了。說相聲的人每天都要把繞口令翻來覆去的說，要練習得很「溜」，嘴一張一滑就出來了。他們雖然在臺上講得輕鬆如意，在臺下可是練習了很久才有這個表現。什麼事要做得好，都是「臺上一分鐘，臺下十年功」，沒有一蹴而就的事。所以，**作文要有條理其實不難，多練習而已。想像你在跟同學說故事，要說到他聽得懂，你必須從頭開始說起，不能跳躍，你知道必須有起、承、轉、合這四大條件，故事才會精采**。不過切記要誠懇、自然，不要故意賣弄生冷的詞句來顯現你的學問，人都不喜歡賣弄的人，這種人的文章即使寫得再好，別人也是不愛看的。

歐陽修說：「為文有三多，看多，做多，商量多。」商量多就是多推敲，寫完要仔細看詞用得對不對，條理有沒有順，有沒有贅詞。**學作文還有一個很好的方法就是寫日記**，許多人不喜歡寫日記，那是因為把日記寫成流水帳，每天講同樣的事，所以沒什麼意思，不想寫。其實，**寫日記是一個訓練觀察力和表達能力最好的**

方式。你把看到的東西說給自己聽，因為你知道自己看到了什麼，因此，在寫時就可以不必怕詞不達義，可以盡量用不同的方式來描述你所看到的東西或某一個事件。很多時候，我們若是不描述它，這個事件很快就從眼前消失了，有時甚至覺得連看都沒有看見。

語言是記錄記憶最好的方式，比心像有效。佛洛伊德為什麼說我們有「童年失憶症」，就是掌管記憶的海馬迴尚未發展完成，用來登錄記憶的語言又還沒有很完善，所以在幼稚園以前，人不可能記得什麼事，多半是長大後，別人描述給你聽的。只有強烈的情緒記憶，如：失火、淹水等才會有影像記憶。又因為你要描述它，你會看得仔細，這就訓練了你的觀察力，久而久之，你發現你所看到的東西比過去多了很多。

因為大腦是個有限的空間，有限的能量，只能選擇性的處理感官送進來的訊息，它取捨的標準就是我們的注意力，而決定我們注意力的就是我們的背景知識。因此，同樣的訊息存在於環境之中，有背景知識的看到了，沒有背景知識的有看沒有到。寫日記可以訓練我們的觀察力，降低訊息進來的門檻，使一眼看過去所收進來的訊息比別人多。

寫作文的重要性是它是很好的溝通方式，一封文情並茂的信可以扭轉乾坤、起死回生。不論科學怎麼發達，當別人還不能穿透身體來讀你的心意時，作文仍然是一個重要的傳遞訊息方式，值得我們下工夫把它學好。

溝通力

6 多讀書才寫得出好文章

要寫出好文章必須心中先有話要說。那麼，如何使心中有話要說呢？你**必須先有觀察力，先要能觀察到大自然或人類社會中的形形色色現象，再將這個現象的來龍去脈跟過去所知的事實掛上鉤，然後把這個事件跟生活現實或哲學理論或科學假設作演繹或歸納，得出自己的看法**，這時你就有話可說了。這三種能力都與閱讀有關，你可能會感覺到，好像跟教育有關的議題，繞來繞去都脫離不了閱讀。你是對的，談教育的確離不開閱讀，這也是為什麼閱讀是教育的根本，全世界都在推閱讀的原因。大家都看到知識是認知的根本，如果我們不知道那個東西是什麼的話，我們就看不見應該看的東西。

大腦處理訊息的方式是從上而下和從下而上兩種模式的交互作用。以字為例，在我們看到字的那一剎那，我們的眼睛就已經送一些有關字的零碎訊息——如偏旁的部件和字的筆畫複雜程度——到視覺皮質去了。大腦立刻從過去的經驗和知識庫中尋找可能符合這些訊息的假設，再次送上來的更多訊息就把不對的假設除去，最後剩下來符合假設的就是我們最後所辨識出來的字。因此，我們若不曾見過這個字，大腦的知識庫中自然就不可能把它挑出來讓後來再進來的訊息驗證它，它就會被忽略。當它沒有進入意識界時，我們就看不見它了。這個機制是我們常記不得不認得的字或看錯、誤認最主要的原因。

再舉一例，我們在馬路上看到一個人跟國中同學很像，就會很興奮的跑上前去打招呼，走近時，更多的訊息送上來，大腦仔細比對就發現誤認了。相信很多人都有這個經驗，因為我們初看到一個人時，距離遠，從眼睛送上來的訊息不夠精確，在一剎那之間，大腦從上而下的機制就立刻找出幾個跟初始進來訊息相符合的人選，再次進來的訊息就把一些不恰當的人選剔除掉，最後剩下決選者就是我們以為是那個同學的人。由於大腦處理訊息的速度非常快（是以毫秒為單位的，一毫秒為一千分之一秒），因此我們不會察覺到自己腦內進行的這些歷程。若是沒有大腦造影的實驗，我們是絕對不會想到原來內部是這樣處理訊息的。其實很多魔術都是先引導你去期待某樣東西的出現，然後你就真的看到魔術師要你看到的東西，魔術表演正是利用大腦處理訊息方式所造成的錯覺。

因此必須**先有知識才能再大量增加新知識**，**知識累積得越多**，**學習新知識的速度就越快**，這正是為什麼大人學習新知的速度比兒童快。大人透過長時間的經驗和學習，已儲存有大量的背景知識，可以幫助他們在新的訊息進來時，立刻找到它應屬的位置。就像玩拼圖遊戲一樣，一開始時最慢（一開始時的摸索就像童年期的學習，科學家從童年期的睡眠實驗中發現，孩子在做夢時，大腦大量的活化，將白天發生的事情加以組織整理，形成新的知識架構以接納更多的新知），當拼圖慢慢成形時，拼的速度就快了起來，因為架構已出現，我們馬上知道手上拿的這個小紙塊應該放到哪裡去，到最後一張時，就不需要考慮或比對，那個空隙是非它莫屬了。

要形成知識架構，**我們需要觀察力**。**觀察力其實一部分是天生的**，**一部分可以後天訓練**，我們的祖先必須有很好的觀察力才能存活下來，將他的基因傳到我們身上。因此，很小的孩子就有察言觀色的能力，父母在氣頭上時，就懂得不要上前討糖吃。只是有人觀察力比較敏銳，有人比較遲鈍（俗語說的「少一根筋」）。

觀察力可以訓練，它的先決條件就是剛剛提到的背景知識。越是在大自然中長大的孩子，觀察力越強，因為他視覺皮質的神經元已經習慣了從各種角度、形狀去綜合出這些資訊所代表的大自然中的某些東西。賞鳥者常比我們更會找到棲息在枝頭的鳥，越專業的人判斷力越準確，一些細微的差異對我們外行人來說不代表任何意義，我們會忽略它，而對專業的眼睛，這一點點的差異就是判斷的依據了。我們的經驗會引導大腦尋找應該有的東西來做判斷的標準，一個好醫師能從病患描述的病情中，立刻在大腦中形成好幾個可能性的假設，再從問病的細節中，如：問病人腹痛是上面還是下面、左邊還是右邊，把不對的假設剔除，最後符合他心目中假設病的症狀的，就是病患的病了。

從這些例子中，我們了解為什麼觀察力是作為科學家的第一個條件了。科學就是把觀察到的現象找出形成的原因，科學論文其實也是作文的一種，只是比較專業罷了。因此，**寫好作文並不難，張大眼睛看，用心體會，用腦思考，文章就自己出來了。**

溝通力

7 請給孩子指出另一條可行之路

常聽到很多父母抱怨孩子的壞習慣怎麼改都改不掉，讓他們束手無策，頭痛不已。最近的研究發現，孩子改不掉壞習慣，其實是我們大人改的方式不對。**行為是大腦意念所激發神經迴路的產物，要改變一種行為必須正本清源，從神經迴路的連接改起，才會有效**。比如說，B是目標行為，孩子有許多方式去達到B，假如他選擇的從A到B這條路是我們所不允許的，只是禁止他，但是沒有指出另一條可以走的路，那麼當他心中想要B的欲望很強烈時，他會瞞著父母去走，畢竟人的大腦演化出來是以達到目的為最高功能指標。如果我們指出另一條可以走的路C，而且鼓勵他去走，久而久之，C到B的路就越走越大條，「桃李無言，下自成蹊」，而A到B的路因為久不走，雜草叢生不好走，再久一點，這條路就被淹沒回歸大自然了。

因此，**要改變孩子的壞行為，不是只是禁止他、懲罰他，而是要替他找出一條可行的替代之路**。

跟孩子講道理絕對比打罵花時間，但這是唯一有效的路。行為是觀念的產物，不從觀念著手，孩子會陽奉陰違，沒有實效。最近從腦造影實驗中看到「沙盤演練」為什麼有效。當我們假設某一件事的發生時，大腦會活化解決該事件的神經迴路，留下痕跡。當該事件真的發生時，在緊急狀態之下，這條曾經走過的路會活化得比別人快，可以立刻做出應變行為。所以「沙盤演練」就是將神經迴路先連過一次，在緊急來不及思考時能做出恰當的應變措施。

許多音樂家在旅行演奏時，常在飛機上將要表演的樂章在大腦中彈奏一遍，他活化的就是等一下表演時需要用到的神經迴路。在沒有儀器可以看到大腦內部工作情形之前，這是音樂家師徒相傳的祕訣，現在我們了解它有效的原因了。這也是為什麼青春一定要留白，我們一定要給大腦時間思考、冥想，尋求最好的解決方法。它同時也是「人無遠慮，必有近憂」的神經機制，先想過了，一旦事情發展的與預想的不合時，大腦會立刻發出警訊。

人腦有很大的可塑性，從大腦中我們看到「心悅誠服」是個最有效的行為改變方法。父母在關掉某一條路之前，請給孩子指出另一條可行之路，這樣親子關係會和諧，情緒影響健康，大家的身體都會好。

溝通力

你有沒有在乎過我？

有一年中秋節遇上狂風暴雨，人們不能外出，想不到這反而使家人打開心扉，化解了誤會。

有個朋友家裡嚴重的重男輕女，使得她非常憤世嫉俗。她曾經晚一年入學，因為母親要她與弟弟同班，好照顧弟弟。考大學時，她考上了國立的卻不能念，要去工作以供考上私立大學的弟弟念書。所以她自怨自艾，不甘願自己有能力卻被父母刻意打壓。但是那年中秋節過後，我看到她時，她不一樣了。

她往年回家過節，都得到廚房幫忙，等拜完祖先、侍候親戚酒足飯飽後，把廚房收拾乾淨，才能回家去。她說家人對待她好像菲傭似的，尤其她弟弟。她母親常跟她要零用錢，但是左手要來，右手卻給了弟弟，令她十分不滿。我們常開導她，叫她不要浪費時間怨恨家人，要把時間用來證明給家人看，女生一樣能光耀門楣；

錢如果給了母親，就是母親的錢，不用管母親怎麼花用。

那年因為天候不佳，叔伯們沒有回來過節，只有她們自己一家人，母親便說，只要煮拜祖先的菜就好了，所以她才有時間到客廳坐一坐，跟家人說說話，這才發現家人其實是關心她的。當弟弟問她近況時，她忍不住把最近發生的情變說出來，她沒想到弟弟全程安靜聽她說完，安慰她說：「塞翁失馬，焉知非福？妳聰明能幹，書念得這麼好，還怕找不到合意的人嗎？我幫妳找看得順眼的，不要傷心。」她說她當時驚訝得連眼淚都忘了擦，原來弟弟是關心她的，還以她念國立大學為榮。心念一轉，她的心情就完全不同了。她問我，人為什麼那麼需要別人的肯定。

我想起一對老夫妻結縭六十年，阿公走後，阿嬤心中最在乎的居然是：你有沒有在乎過我？

溝通實在太重要了。現代的社會，家家吃飯配電視，眼睛都不在對方的臉上，哪裡知道家人的心情如何。其實新聞晚一點看也不會怎麼樣，尤其在臺灣，不知道更不會造成任何損失，耳朵反而清淨。但是孩子一下子就長大了，很多父母到孩子離家上大學時，才突然驚醒，不知孩子是怎麼長大的。

臺灣連年風災肆虐，傷亡無數，但是**它或許也讓家人在停電不能看電視的黑暗中，打開了心扉，找回了親情。只是，我們應該檢討的是，為什麼只有天災，為什麼當我們不能外出時，才有時間溝通？**

溝通力

9 教育孩子談話的藝術

最近因為經濟不景氣，飛機班次減少了許多，這次去美國開會，有好幾個教授會後因沒有班機可回家，以致要等到半夜，所以主辦的教授便請我們去他家烤肉消磨夜晚時光。在那裡我見識到了「尊重」的力量。

有一位瑞典教授因為保母聖誕節休假，去了加勒比海晒太陽，只好把五歲大的女兒帶來開會，旅館有照顧小孩的服務，但是現在退房了，她無可奈何只得把女兒一起帶來。因為她女兒是晚宴中唯一的孩子，沒有玩伴，加上環境陌生，所以寸步不離的黏著媽媽。她研究的領域與我相似，我很想向她請益，正在躊躇該怎麼安排，談話才不會被孩子打斷時，她微笑的把孩子抱在腿上，跟孩子說：「仔細聽我們說話，等一下我們有問題要請你幫忙。」我們每談十分鐘左右，她就抓著談話的尾巴低頭問懷中的女兒：「你可以告訴我們○○○是什麼嗎？」孩子很高興的講她所知道的，母親微笑讚美說：「講得很好。你不覺得我的女兒聰明嗎？她才五歲耶！」孩子興奮得臉都紅了，更加注意我們的談話。

我們又接著談正事，談一會兒，她又把注意力拉到孩子身上，我突然發現這是高招，把孩子變成局內人，讓她參與談話，她就不鬧了。人都喜歡被人注意，被人諮詢請教時，感覺尤其好。孩子平日不肯安靜聽大人說話是因為她覺得被冷落，很無聊，假如你能把孩子帶進談話之中，她是參與者，就不會無聊了。尤其找個她可以回答的題目問她，讓她有機會表現，人是好為人師的，大人肯諮詢她的意見，把她當大人看待、看重她，她會很高興，很有面子，就會乖乖坐在媽媽腿上聽大人說話了。這樣做同時也教她談話的藝術，它是輪流說，不是一人獨白。

瑞典教授的做法，不但教了孩子在公眾場合應有的態度和行為，也讓孩子感受到被尊重。**尊重是一種很奇妙的心理感覺，越不被人尊重的人，越希望人家尊重他。尊重會帶來自重自愛。尊重他，孩子就會為了這份尊重，自我約束。**

很可惜我們的孩子在成長的過程中，很少感受到大人的尊重。有一位客座教授的孩子在臺灣讀了一年的書，要回去時，我問他，臺灣和美國教育最大的不同在哪裡？這位三年級的小朋友想都不想就立刻回答「尊重」。他說美國的老師尊重學生，會用「請」；中國的老師常用命令的口氣，會用罵的方式跟學生說話。他的回答令人驚訝，但是仔細一想，他的觀察還有幾分道理，父母和老師對孩子的看法，會決定這個孩子的前途，我們一定要開始學會尊重他人，包括孩子在內。

美國小說家亨利・詹姆斯（Henry James）說：「**人的靈魂最深的渴求是被人了解**。」（"The deepest hunger of human soul is to be understood."）教育孩子談話的藝術是邁向這個了解的第一步。

第六篇

生命力

生命中強韌的力量

在街角碰到一位多年前教過的學生，她熱情的跟我打招呼，並介紹臉上掛著淺淺微笑的女孩是她的女兒，問我記不記得當年的小薇。我看了好生驚訝，因為她女兒出生時難產，是嚴重的腦性麻痺，醫生說她這輩子不會叫媽媽、不會走路、不能自立，想不到醫生的話全部推翻了。她看到我驚訝的樣子，很驕傲的告訴我，醫生憑統計數字說話，母親憑愛推翻統計。

原來生了這個孩子後，她便辭去教職，在家全心全意帶這個孩子，才兩個月大，便抱去做水療，一切可能的復健都去做。復健是痛苦的，父母的毅力與堅持終於成就了今天輕微殘障的幸福女孩。

她告訴我常常會因為孩子哭鬧不肯復健而想放棄，但是看了我翻譯的《改變是大腦的天性》這本書後，裡面的實驗鼓勵她繼續做下去。我聽了很高興，臺灣翻譯的稿費很少，翻譯也不算學術出版品，但是有幫助到需要的人，那就值得起早睡晚的去介紹新知進來。她走後，我腦海中浮現很多這種因父母不放棄而改變孩子一生的事蹟。

澳洲有個腦麻的孩子現在在開大卡車，他還有很多開大車的證照，這對一般人來說是絕對不可能的事，但是他做到了。醫生跟他母親說的話跟我學生聽到的很相似，一輩子不能……，但是他的母親說：「或許別人不能，但是我的兒子一定能。」

他從小對動的東西感興趣，他父親便在農場的空地教他開車，使他十六歲就拿到駕照，他會開耕耘機、堆高機、各種卡車。他母親說這孩子不肯放棄每一個小動作，做上千百萬遍，精熟了再做下一步，他說：「身體不聽話，就訓練到它聽話為止。」這是何等的毅力！他母親雖然不知道多吉 Doidge 醫生寫的《改變是大腦的天性》，但是她從經驗中，證實了大腦是可能改變的。

很早以前，《讀者文摘》上也登過一位偉大的父親，把他患小兒麻痺症的女兒復健到不但能正常走路，還選上美國小姐。他把女兒放在廚房餐桌上，用熱毛巾敷腿拉筋，孩子痛得哭喊，他一邊流淚，一邊敷，最後孩子成功的會走路了。

也有一個重度自閉的孩子最後學會了說話，因為他的母親在餵他吃飯時，湯匙放進嘴裡，說「啊」，而湯匙抽出來，則說「媽」。這「媽」字的發音每天做給他看，一天三餐，一年三百六十五天，從兩歲半餵到五歲，有一天，媽媽把湯匙抽出來時，孩子開口說「媽」，從那以後，這個孩子會說話。研究者訪問他的母親時，她只簡短的說了一句：「**別人教她的孩子是一遍二遍，我教我的孩子是一萬遍二萬遍，我以萬為單位。**」**母愛的偉大創造了奇蹟**。

其實，大腦若不能改變，如何能使人類度過演化上各種艱苦的情境而存活到今天？**大腦是一直不停的隨著環境的需求而改變內在神經的連接，人是終身在適應環境的**。

在回家的路上，我腦海中一直浮出一句話「**天行健，君子以自強不息**」，天行健是個榜樣，人類自強不息以跟上天的變化。

生命力

給年輕人生命的理想

很多人不了解生命教育是什麼，甚至問，以前都沒有，為什麼現在要做？質疑它的必要性。其實生命教育很早就有，而且一直有在做，只是不叫這個名字而已。**生命教育的核心是珍惜：珍惜光陰、珍惜資源、珍惜生命。中國人講究勤儉，勤儉就是珍惜、物盡其用、人盡其才。〈禮運大同篇〉的每一句話都是生命教育的精神。**

在工業革命之前，物力艱難，人珍惜一絲一縷，天不亮就起來，做到天黑為止。當一個人勤奮做事時，心中只要有一線希望，他就會珍惜生命，因為透過勤儉苦讀可以改善生活。這是為什麼中國刑律對考場舞弊罰得很重，甚至腰斬，那是僅次於凌遲的刑罰，因為科舉是窮人翻身唯一的途徑，必須公平。統治者知道只要老百姓心中有希望，再苦的生活也過得下去，一個人若珍惜自己的生命就不會造反。中國有「皓首童生」的話，考了一輩子，頭髮都白了還是童生，仍然堅持再去考，因為只要不死，中舉的希望還在。

但是現在不同了，機器代替人力，節省了時間，充裕了物質，照說人應該更加努力追求心智的長進，但是人都是好逸惡勞的，俗語說：「要飯三年，知縣不幹。」不勞動，體力就衰退，而毅力來自體力，孟子也說：「**天將降大任於斯人也，必先苦其心志，勞其筋骨，……**」勞其筋骨才有體力去苦其心志。

人生最悲哀的事莫過於壯志未酬身先死，自古英雄只怕病來磨，人一病，再大的壯志也都付諸東流。所以柏拉圖在他的《理想國》中說：「二十歲以前雅典的公民只要音樂和體育的教育就夠了。」體力和毅力是一體兩面。毅力其實是成功的首要條件，成功的人不一定是最聰明的人，但一定是鍥而不捨、最有毅力的人。現在孩子四體不勤，五穀不分，體力不行，不能吃苦，哪來的毅力呢？

最糟的是現代人不需為衣食忙碌後，就不知該如何打發時間，產生「殺時間」（kill time）的現象。年輕時，時間是殺不完的，因為明日復明日，明日何其多，今天去了，明天又來了，等到發現萬事皆蹉跎時，已經來不及了，因為人生不能逆轉。這是生命教育要從小做起的原因之一，等黃土埋一半才醒悟時，就來不及了。

在物質充裕時，人不再惜物，用過即丟，人對只用一次的東西不會好好的珍惜，就失去了敬業的精神。這個不珍惜物力、不敬業的習慣養成後，對生命的價值也改變了，活得不順利就自殺，重新再來過。

早期的人對自己都有一番期許，例如：早早念完書，出來就業可以幫忙家計，減輕父母負擔；快快長大可以念書報國。現在的孩子不但對國家認同薄弱，對自己家庭、甚至對自己的認同都不見了。一九六〇年代在保釣時的留學生，大家遊行呼喊「國土可以征服，不可以斷送；人民可以殺戮，不可以低頭」，當孩子壯志凌雲時，他怎麼會輕生？韓信可以忍胯下之辱，因為他心中有帝王之志。

現在生命教育最迫切的是給年輕人生命的理想。人生的目的在於實現心中的理想，若是心中無理想，人生自然無目的，醉生夢死當然就成為生活的態度了。**要實踐生命教育必須從實做中去求體驗，沒有體驗不會有感動，沒有感動就不會有學習**。學習最有效的方式是情緒與動機，我們從老鼠的實驗上看到主動與被動雖只是一念之差（一個是自己想做；一個是自己不想做，被逼著做），但是在神經連接的密度上就有顯著的差異。生命教育很抽象，不易說教，必須靠實做去體驗，因為經驗會促使神經連接，神經連接會形成迴路，變成他的思想。

我曾經帶我的兒子去痲瘋村服務，當他看到那裡的小朋友鉛筆用到只剩一寸還用樹枝綁著在用時，就深悔自己過去的浪費。心中有感動就開始惜物了。這個改變是發自他內心的，是主動的，跟因父母、師長的嘮叨而不得不做有完全不同的效果。他在這次志工服務中也找到志同道合的朋友，因為理念相同，一直保持聯繫，成為人生路上的好伙伴。

許多人都對「人生以服務為目的」嗤之以鼻，其實這句話就是生命教育的外顯。**有能力服務別人，表示我們比別人強，這帶給我們信心；能夠付出，表示我們比別人多，這帶給我們滿意**。一個人對自己有信心、很滿意，他就快樂了。古人說「施比受更有福」，就是這個道理。

生命教育的推行不難，從每學期志工服務開始做起，一旦做過志工，很多人一生都是志工，不但他自己的生活充實了，我們的社會也變美好了。

生命力

3 在志工活動中體驗生命

在書店中偶然看到一本書《那年夏天，我們走出教室》（天下文化出版），這題目抓住我的眼睛，因為我一直認為真正的教室在窗外，教室外所學的東西才是真正用得到的，所以就拿起來看，原來是中原大學的學生去非洲馬拉威做義工的紀錄，非常有趣。想不到一回到家就接到紀惠容小姐的邀請函，邀我去公視與這些學生會談，真是太湊巧了。那天訪問完從電視公司出來後，心情非常愉快，覺得中華民國還是有希望的，因為我們畢竟教育出了這麼有愛心的孩子，也深深覺得實做的好處，老師在課堂講一學期生命教育的課，學生的領會不及這十天在馬拉威的體驗。

鼓勵學生做志工的好處是它啟動了孩子善良的本能。在學校參與過服務隊、接觸過弱勢團體的人，出社會後，比較會繼續做，因為了解才會有關懷。但是如果在學校時不曾接觸，出社會後，會被社會人吃人的競爭所衝擊，他柔軟的心就會變硬，就不太會去做了。

我們常說年輕人有熱情、有正義感，二十歲以前不是共產黨，這個人沒有熱情；三十歲以後還是共產黨，這個人是白癡。所以我們**應該趁孩子天真、熱情、不世故時，讓他們接觸不同的人，體驗不同的生活，感受不同的挫折**。沒有接觸就不會有感動，就像有位志工同學說的：「在臺灣時，愛滋病離我很遙遠，很少會去想到它，但是當一個媽媽抱著垂死的愛滋嬰兒進來我們的醫療團隊求救時，我第一次感到愛滋的恐怖，一個剛出生還不會爬的孩子就已經沒有了明天。」這種體驗是深刻的，目睹生命的流失對生命教育的意義不是課本教得來的。

一九七〇年，我們研究所進來一位越戰退伍軍人，他的行事風格與別人不一樣，很冷漠，不跟人說話。久一點後，他告訴我：「當你聽過炸彈爆炸的聲音，你就不再是從前的你了。」我想那種震撼教育就和看到無辜嬰兒因愛滋而死亡，自己卻束手無策的感覺是一樣的。所以**每個同學都說做過志工後，自己不一樣了，不但成熟了，也學會感恩**。世界上有這麼多奇奇怪怪的病，馬路上有這樣多橫衝直撞的車子，而我們卻能平安的活到現在，難道不該感恩嗎？

那天聽他們說在馬拉威的經驗，我才了解為什麼古人說「壽終正寢」是福氣。

與其花很多錢編生命教育的課本，硬擠出上生命教育課的時數，不如直接讓孩子去做志工，成效會快些。

很多人一想到志工就想到掃地、淨灘，其實**最理想的志工應該是發揮自己的專長幫助別人，因為那才會雙贏，對別人與自己都有利**。好幾次我坐公車經過臺大，看到臺大的學生在校園外掃地，那種有氣無力的樣子使我想到是否學生覺得掃地沒有什麼意思呢？如果讓他們去做弱勢兒童的課後輔導，會不會更有挑戰性呢？組織志工隊一定要看各人的專長，不然不但沒有服務到別人，別人反而要來服務他，或替他善後。

從同學們那天的談話和書中他們生活的紀錄，我們看到這是一個教育部可以積極推動的計畫。**一個成功的志工團把生命教育、品德教育、兩性教育都包括在裡面了，因為只有接觸才會產生了解，只有了解才會產生尊敬與寬容**。

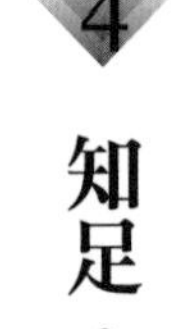

知足，就會快樂

一位朋友從美國回來，大談簡樸即是美，告訴我他跟賓州艾米許人（Amish，一種不用電、汽車等現代工具，保持十八世紀生活的早期荷蘭移民）一起生活一個月的情形。在聽他說話時，我腦海中浮現上週去南投縣仁愛鄉濁水溪上游最遠的一所小學的經驗，其實臺灣山地處處可見簡樸的美，不需跋涉長途去外求。

那所小學每年舞蹈比賽都得獎，但是缺乏合適的配樂，所以常被扣分，於是就想請個專業的錄音師來配樂，使紅花得綠葉之襯。因為專業的錄音很貴，就有一位電子公司的老闆，他是業餘的音響玩家，自願帶著全套的設備上山去錄音。我們到了學校一看，他們除了一面皮鼓、兩個鈴鼓，什麼都沒有，老師前一天還連夜去砍了幾根碗大的竹子要來做鼓，卻還來不及完成。

那，怎麼辦呢？老師靈機一動，叫學生嘴巴張開來唱，自己用兩根棍子敲擊木鼓打節拍，請他們唱祖靈歌、祭祀歌、打獵歌。剎時間，山林充滿了嘹亮的歌聲，樹上很多鳥也突然大聲唱了起來，變成人聲、鳥聲的合唱。望著青翠的中央山脈，我想陶淵明的世外桃源也不過如此了。正陶醉時，下課鐘響，打亂了錄音，大家都笑了起來，因為不是在專業的錄音室裡，我們在操場的司令臺露天收音，忘了頭頂還有支播放上下課鐘聲的大喇叭。

孩子們不怕疲倦的一唱再唱、精益求精，看著他們缺了門牙的大嘴快樂的唱時，真的很羨慕。他們的要求不高，有飯可以吃、有學可以上、有家可以回就很滿足了。在練唱時，有個一年級的小朋友走出教室去上廁所，他一聽到鼓的節奏就開始跳起來，他並不知道我在看他，跳得那麼自然，一路跳到廁所去，再跳回教室。他可能功課不好，注音符號還不會，但他是快樂的。**人只要懂得知足，就會快樂**。

錄完音後，我們拿出帶來的一桶冰淇淋請他們吃。冰淇淋是山上吃不到的，山上並沒有便利商店，即使六號國道通了車，上山還是得花兩個多小時，冰會融化，所以小朋友一聽到冰淇淋立刻歡呼起來，每個人跑回教室拿午餐的鐵碗與湯匙，排成三路縱隊等著吃冰淇淋，看著他們發亮的眼睛，我們暗暗決定以後每學期送兩桶冰淇淋上來獎勵閱讀。

低年級的小朋友拿到冰淇淋後立刻到隊伍後面一邊吃一邊再排第二輪，這時高年級的學生就告訴他們老師還沒吃，等老師吃完剩下的再吃第二輪，沒有一個小朋友反對或抗議，大家捧著吃完的碗安靜的等待。我看到每一個小朋友都發揮舌功，把碗舔得乾乾淨淨，比洗過的還清潔。

我們要下山時，一個三年級的小朋友過來抱我一下道別，告訴我這是他最快樂的一天，問我下次什麼時候再來，他要抓一隻小動物讓我「驚喜」；另一個告訴我他今晚一定會夢到冰淇淋，因為太好吃了。

山上交通不便，路只通到他們學校，後面就沒有路了。山路崎嶇，大巴士開不上來，他們要下山需要接駁，很不容易，但是他們知足，一桶冰淇淋可以讓全校師生快樂一整天。古人說：「晚食以當肉，安步以當車，無罪以當貴，歸真返璞，終身不辱。」**人只要能保持心靈的簡樸，快樂就在你身邊，不需遠求。**

生命力

5 做善事受益最多的是自己

美國金士頓科技公司的創辦人杜紀川先生在《自由寫手的故事》（親子天下出版）序中，寫到一位素昧平生的實習老師來找他，因為學校經費不足，無法讓學生閱讀，希望他能捐錢讓她的學生買書和使用電腦。杜先生說他認為只要能讓某個人在某一小時快樂，就很值得掏腰包，因此他就幫助了這位有教學理想的實習老師圓她的夢。結果，他沒有想到他的幫助改變了一百五十位學生的生命，讓這些貧民窟的孩子遠離街頭幫派，從書本中去找尋他們的夢，而戶外教學開啟了他們眼界，給了他們自信心和希望，畢業後甚至有幾個還上了加州大學，實現了他們過去連想都不敢想的夢。

杜先生的序讓我很感動，不只是因為他慷慨解囊，更重要的是他那句「只要能讓某個人在某一小時快樂就夠了」的心。

小時候聽到「施比受更有福」都很不以為然。錢留在自己身邊，可以買無數自己想要而父母不肯給的東西，不是最好嗎？為什麼給別人用，自己才會快樂？長大後，發現此言不虛，的確在幫助別人時，得到比自己享受更大的快樂。美國有研究發現，人的物質欲望是會飽和的，去年一塊錢能帶給你的快樂，今年要一塊四毛才能達到同等的快樂。一個沒有飯吃的人，一碗白粥是瓊漿玉露；天天吃美食的人，再好吃也不過如此。其實我們每個人都有這種經驗，吃第一口時，好吃得連舌頭都要吞下去，吃太多後，山珍海味也索然無味了。

加拿大英屬哥倫比亞大學的教授更在大腦中發現，錢花在別人身上帶來的快樂感高於花在自己身上，就算是只捐了五元，如果這五元能讓人快樂一整天就比花五百元讓自己大吃大喝更快樂。神經科學領域一份著名的期刊《神經元》（*Neuron*）也連續刊出三篇論文，研究者都發現社會地位，如：被人尊敬、有名譽被人羨慕所帶來的快樂，與得到金錢犒賞的快樂在大腦中活化的區塊是相同的，而且強度相似。研究者發現社會地位越高，越被人尊敬，身體就越健康。**做善事看似幫助別人，其實受益最多的是自己，它使自己心情愉快，遠離病痛。**

二〇一六年六月三日臺北有一場「原住民兒童之夜」，遠從臺東、屏東、南投七個山地國小下山來的小朋友用歌舞將他們一年來的進步呈現給認養人知道。那天散場後，從每個走出來的人的臉上，我看到了這個實驗的意義。外國有句諺語："You can give without loving, you can never love without giving." 真是對極了！

生命力

替學童打開藝術教育的門

一位朋友因憂鬱症住院了，乍聽這個消息覺得很難過，因為以他的家境、學歷、經歷都應該算是一帆風順，為什麼會失意如此。跟幾位也認得他的朋友談起來，他的發病又似乎在每個人意料之中。一位跟他高中、大學都是同學的朋友一針見血的說了句話：「他除了讀書，生命是一片空白。」他不看小說、不看戲、不聽音樂，他是臺灣父母、師長心目中的優等生，但是這個優秀的代價太慘痛了。

亞都飯店的嚴長壽總裁在他《做自己和別人生命中的天使》（寶瓶文化出版）一書中談到，有一次他在德國搭計程車，發現車上播放著他所喜愛的古典音樂。一問之下，發現這位司機曾經是大學教授，因故必須開計程車謀生。但是他並不以為忤，因為開車只是一個謀生的工具，他內心世界異常豐富，並不需要職位來肯定自己。不管開不開車，他都是一個完整的人格，有他的氣質內涵。

嚴總裁說：「一個懂得欣賞藝術的人，在感到鬱悶、無聊時，藝術可以陪伴他，替他解悶。」古代讀書人手邊常有些小玩意，心情不好時拿出來把玩，我父親心情不好時，就常去院子裡種花。人不是一定要書念得好、錢賺得多、官做得大才會幸福。**在旁人眼中的成就常常抵不過生命中真正的內涵，因為只有有內涵的生活才能找到心靈的安適。**

現在臺灣憂鬱症很嚴重，有個原因是我們的學生缺少人文的素養。我非常贊同嚴總裁說的，如果在念小學的時候，老師能教我們欣賞巴哈、莫札特的音樂，而不是專門考大調、小調的差異或是背工商角徵羽的樂理，我們應該會有一些音樂素養，在煩悶時可以藉音樂得到心靈的慰藉與滿足。

人的大腦有個惡習就是喜歡鑽牛角尖，我們的記憶是神經迴路的活化，一旦一個負面的情緒被活化了，它會帶動其他跟它有關的負面情緒，我們的心情就越來越鬱卒了。我的大舅曾被共產黨送去北大荒勞改二十二年，最後能以八十二歲高齡活著回到福州，他腦海中的音樂、戲劇、詩詞功不可沒。他說在極痛苦時，就在腦海中唱一段京劇，背一段《古文觀止》，以古慰今，度過一天。

藝術教育對文化素養既然這麼重要，或許政府可以規定在小學畢業前，至少要聽過一次音樂會、看過一次戲劇，替學童打開藝術教育的門，讓他們以後知道如何追求有藝術人文內涵的生活！

7 能惜福，就不會有煩惱

人的記憶是種選擇性記憶，通常對不好的事情記得比較清楚，也記得比較久。因為演化上，人要能記取教訓才不會重蹈覆轍，因此對不好的事情不但要記得非常深刻，最好還要記得夠久以告誡子孫，趨吉避凶。對於順利的事則過眼就忘，平淡如水，不值得特別去記。學生很怕寫週記常是因為每天都過同樣的日子，乏善可陳，被老師批評「流水帳」。其實流水帳是福氣，只是我們平日都不這樣想而已。

因為演化比較偏向記不好的事，因此夫妻吵架時，雙方都會把對方不好的、虧欠過自己的事，一個不忘的背誦出來，很多夫妻吵架三天三夜吵不完，就是因為雙方的記憶都太好了，從結婚那一天的喜酒開始吵起，一本流水帳都在大腦中。這也是為什麼人家說欠債是使朋友永遠記得你的最好方法，大腦沒事便把這件未結案不能歸檔的事拿出來咬牙切齒一番，順便告誡子孫絕不可借錢給人家。

其實這種行為是很不健康的，研究發現負面情緒對身體很不好，因此人應該透過自己的意志力改變這個壞習慣。第一，**不要再把快樂的事當作理所當然，心中常要存感恩之念，感謝上天讓我今天平安順利**。這一點是許多憂鬱症患者最不容易跳脫的地方，他們常緊咬著不幸不放，無法釋放出腦力去感受自己的福分。

近年來政府在推生命教育，我們應該從小教孩子感恩，他們必須認知到人是動物，受到大自然法則的規範。沒有任何動物出去覓食時，有把握今天一定找得到東西吃，牠們會知道找到食物是福分，找不到是本分，我們從不曾看到哪一隻動物辛苦一天覓不到食物時，大發脾氣的，只有人類才會。每隻動物出門覓食時，也沒有把握今天一定可以再回到這個窩來。因此，我們若能及早把演化加諸我們身上的規範教給孩子，讓孩子學會感恩惜福，這孩子以後碰到挫折時，就可以坦然接受考驗，不會自怨自艾，覺得全世界人都對不起他，去鑽憂鬱症的牛角尖了。

第二，知道人比較容易記得負面的事情後，我們可以**每次一動負面情緒的念頭，便提醒自己去數福分，把悲觀改為樂觀**。有個媽媽告訴我，自從她兒子班上轉來一個腦性麻痺的學生後，她開始感謝自己的孩子四肢健全，從此不再嫌孩子笨。

人若能惜福就不會有煩惱，這一切都在大腦，改變看法，可以改變人生。

生命力

8 耐心等待孩子成長和成熟

美國有艘驅逐艦到越南做友好訪問，這本來是例行公事，但它之所以會引起媒體注意，是因為這艘驅逐艦的艦長是當年西貢淪陷時逃出來的小難民。

一九七五年四月三十日，只有五歲的 Le-Ba Hung 隨著其他難民乘著竹筏在海面上漂流了兩天兩夜，才被一艘美國軍艦救起，把他們帶回美國。他長大後發憤圖強，以優異成績進了美國海軍官校，又因努力向上，被升為驅逐艦長，三十九歲的他終於有機會回到當年逃離的故鄉。

記者訪問他時，他說當年他是一個沒有人要的小難民，美國收留了他，給了他機會，做到了艦長，統御一艘軍艦，乘風破浪去完成他的大志。他對美國不計較膚色、種族，給他教育，讓他出頭，非常感激，他說英雄不怕出身低，將相本無種，男兒當自強。他的話給了越南青年很大的鼓勵。

我最近正好去胡志明市演講，看到他們的大學生非常用功，大熱天坐在校園樹蔭下念書。越南天氣很熱，攝氏三十度左右，溼溼黏黏的，本來想問為什麼不去教室內讀書，後來才知道他們的校園很小，教室設備也不好，圖書館的書更是少，他們是拿著老師自己編的教科書努力在讀，看了很令人感動。就像那位艦長說的，心中只要有希望，再多的苦都吃得下來。

回來後看到新聞報導說，南港高工有位學生拿到全國技能競賽的金牌。這個學生當年基測的成績只有八十一分，被同學嘲笑，但是努力學習，他現在是金牌得主。其實**人都有長處，只要找到興趣，學得慢沒有關係，勤能補拙，堅持下去，「鐵杵磨成繡花針」，自然打出一片天，苦心人天是不負的**。報上說，雖然他的課是晚上的，但是他每天一大早就來學校學習，老師問他為什麼，他說：「到學校就很快樂，聞到工廠內的油漬味，精神就特別好。」看到這句話就知道他一定會成功。當學習是快樂的，他就會自動自發的好好學，不需要人督促了。

這則新聞很鼓舞人心，後段班的學生不必要氣餒，老師也不要放棄他們，西諺說：「**沒有什麼叫天才，只要放對了位置，讓他的能力發展出來就是天才。**」我個人非常反對後段班或放牛班這個名詞，開竅得晚並不代表笨，更不是孩子的錯，它是基因的關係。教育者應該有耐心等待孩子成長和成熟（maturation），如果每個人都一樣，孔子三千年前就不必說「因材施教」了。把孩子編入放牛班是在他還沒有起步就倒打他一耙，對孩子是不公平的。每次看到後段班學生出頭天，我心中都很高興，**天下沒有不可教的孩子，給他機會，他會表現給你看**。

一個孩子心智的啟發是不可用錢衡量的，我們不知道什麼時候這個孩子會做出什麼事而改變了世界，就像前面例子中的艦長或拿金牌的孩子一樣。伸出手幫助一個孩子，幫他繳學費也好，替他多準備一個便當也好，甚至口頭鼓勵都行，只要一個孩子因我們而改變了，我們在這世界上就沒有白走一趟。

這兩則新聞讓我快樂了一天，把它分享出來，希望每個人都看到社會的希望。

生命力

感恩帶來幸福與滿足

我一向對史蒂芬・金（Stephen King）沒有好感，總是以為會寫出這麼恐怖的小說的人，心大概好不到哪裡去。有一天，偶然看到一則報導：史蒂芬・金在鄉下散步時，一位卡車司機因為低頭拍他的狗，一不小心開出了馬路，把他撞得先飛上卡車的擋風玻璃，再飛越馬路，掉入路旁的水溝。他被救活後的第一句話是：「感謝上帝，那個司機不必為我的死負責任！」我看了很感動。不怨恨肇事者就已經不容易了，還能這樣替別人想更是難，他的大量使我從此改變了對他的看法。

現在已有**研究證實快樂不記仇的人活得比較長，他們自我調整情緒及應變的能力比較強，比較有創意，事業上比較成功**。

為什麼量大、感恩、快樂的人，事業比較成功呢？因為現代社會已經不再是過去那種單打獨鬥、獨立創業的時代了。在團隊的社會裡，要成功要靠朋友的扶持。

現在連求職的介紹信都要三封，表示一個人至少要有三個朋友，不然連工作都找不到。快樂的人容易交到朋友，因為情緒是會相互感染的，人都喜歡跟笑口常開的人一起，不喜歡跟愁眉苦臉的人共處。有一位在國中教公民的朋友常感嘆現在的孩子不快樂也不知感恩，他說他的學生都認為享受權利是他們的本分，只要有一點不滿意就怨天尤人，把過去人家對他的好處一筆勾銷。

其實**懂得感恩才能豐富自己的生活，我們因感恩而謙虛，生命因謙虛而受益，一個忘恩負義的人他的生命是陰暗、孤單、貧乏、沮喪的**。我們都誤以為成功使我們快樂，但是事實上正好相反，快樂使人成功。快樂使好事發生在我們身上，西諺說：「智者不因匱乏生悲，而能知足喜樂。」中國人則有更高一層境界：「不以物喜，不以己悲。」不論中外，快樂都是人生美滿的標竿。美國開國的元勳傑弗遜（Thomas Jefferson）甚至說：「追求快樂是美國人不可剝奪的權利。」但是**快樂是不必追求的，它在自己的一念之間，只要有感恩之心，知足出現，快樂就出現**。

數年前四川大地震，在報上看到一個少數民族的男子用竹簍把他的母親背下山，這兒子是快樂的，因為他平安的把母親背到了平地；這母親也是快樂的，因為她教養出一個懂得感恩的好兒子。

感恩帶來了心裡的幸福及對生活的滿足。問題是，我們該如何教臺灣的孩子感恩呢？

生命力

父母快樂，孩子才會快樂

晚上十點半，我在捷運車站看到同事的女兒，我很驚訝她這麼晚了還在外面，因為她母親管教得很嚴（她說不希望太早做外婆），這個時間不太可能允許她出來。她看到我立刻跑過來抱著我哭，原來跟母親吵架了，一氣之下離家出走，但是忘記帶錢，口袋裡只有一張悠遊卡，來到車站後，不知去哪裡好，正在徘徊，看到我好高興，這樣就有臺階下，可以回家了。我知道她母親以她為生活的重心，把她照顧得無微不至。問她為何跟母親吵架，她說被人照顧得太周到也不好受，連呼吸的空間都沒有，要窒息。而且當別人一直說她是為你犧牲時，壓力非常大，一旦達不到母親的期望時，會覺得自己對不起母親。她說她活得非常不快樂，也害母親活得不快樂。

她的話令我沉思。**人應該為自己活，為自己活就不會失望，因為操之在我**。天下的父母都是為孩子好，但是只有自己快樂，孩子才會快樂。母親尤其是家庭的靈魂，因為孩子跟母親在一起的時間最多，母親的情緒會嚴重影響孩子的心情。父母愛孩子最好的方式是把自己照顧好，使自己活得長，孩子才不會失怙、失恃。

其實快樂是一種態度，一種對待生命、每天過日子的態度。每個人在社會上都扮演很多種角色，我們是女兒、是妻子、是母親、是朋友、是教授，扮演的角色越多，內心的能量越大，一個角色受傷時，其他的角色可以出來支援；打擊來時，就能保護我們不受傷害。不致像很多傳統的婦女一樣以丈夫、孩子為生活中心，一旦丈夫變心或孩子離家上學就會頓失生活的重心，不知該如何排遣時間了。**朋友越多的人，社會資源越多，也越不受到單一失望的打擊**。

做父母更要多讀書，接受新的觀念。多讀書使我們看到事情的因果關係，了解因果關係就明瞭事情在外界的定位，不會以為是自己不好，自怨自艾。很多時候，越逃離，面前的山越高，一旦面對它，它就突然變矮，就在你能力可以處理的範圍之內了。而且事情不處理會像滾雪球似的愈滾愈大，最後不可收拾。情緒的雪球尤其如此，只要孩子情緒一不對勁，要立刻放下手邊的事，優先處理孩子的情緒，不要等到火山爆發。

要有快樂的孩子，父母親應該以自己為生活重心，為自己而活。**多交好朋友，增加自己活動的範圍，你會發現當你為自己活時，你會快樂很多，你的孩子也跟著快樂了。**

生命力

11 稱讚與鼓勵，go a long way

有一位國小老師告訴我，她在值班時，接到一位家長打來的抱怨電話，說他女兒班上的老師如何差，希望轉班。這位家長向她打聽一位老師的名字，因為他聽鄰居說教得還不錯，要去和校長說希望轉到她的班上。我的朋友逐一點名教低年級的老師，都沒有這位家長說的，這位家長一再重複：「矮矮胖胖，頭上有白頭髮……」，她突然想到，哎，那不是我嗎？她一時啼笑皆非，問那家長：「你有跟任何人稱讚過這位老師教得好嗎？」家長說沒有，平白無故怎麼會去說老師的好話。

掛上電話後，她很感慨，一位老師教得不好，家長立刻打電話來罵；但是教得好，卻沒有人誇獎。她說這不正是我們社會的縮影嗎？做得好的人沒人稱讚，做不好的立刻上報紙大家罵，我們為何不願給做的好的人一點掌聲呢？她的話令我沉思良久，我們應該賞罰分明，做得好的要給予支持，基層才會有士氣，一點鼓勵

go a long way。

最近在報上看到一篇文章，有位老師說：某天，她在課堂上問了問題，一個從開學起便插科打諢、專門搞笑的同學又搶先回答了，搞得全班哄堂大笑。她那天心情好，便說：「你的看法我沒想過，也沒聽過，但仔細想想也不無道理。」就這麼一句誇獎的話，這個學生學習態度變好了，可以安靜上課，從此不同了。這個例子令我悚然而驚，我們當老師的有多少次，因為心情不好而隨口駁回學生的看法，把本來渴望得到獎勵的孩子澆了一瓢冷水了呢？

老師的鼓勵在越是功課不好的學生身上越重要，二〇〇九年一月十七日的《中國時報》社會版有一則新聞，標題是：「愛的奇蹟，智障生甄選上北科大」。原來這孩子從小被鑑定為中度智障，遭受同學、老師的排斥，但是高中時，很幸運的碰到了好老師，假日幫他義務補救教學，使他趕上進度。他在老師的鼓勵下功課突飛猛進，老師又鼓勵他參加全國技藝競賽，在修車鈑金組拿到獎，現在上了北科大。我們從來沒有想過一個孩子被肯定後，不但學習態度，連容貌都不一樣了，老師形容他剛來的時候「眼神渙散」，真的像個智障人。看到老師的鼓勵和愛心改變了他的一生，真是令人感動。

前幾天我去了一趟少年感化院，校長也講了一個同樣的故事。他說有個學生童年生活坎坷，沒爹沒娘，是個沒有人要的人球。進入感化院後仍不肯學好、不接受教育、口出遜言、專門欺負比他小的人。有一天上美術課，校長看到他畫得還不錯，隨口稱讚了幾聲，一開始他還愛理不理，但是校長把他的畫用框框起來，掛在餐廳的牆上，使同學一進去用膳就會看到他的作品，從此這孩子就不一樣，改邪歸正，不再愛找人挑釁了。對一個從來沒有聽過人家稱讚的孩子，這一點點就夠了，真是一點稱讚 go a long way。

鼓勵比責罵有效，因為它從心裡改變孩子，西諺：「我們對孩子的看法決定他的命運。」真是非常的對。天下真的沒有所謂的壞孩子，也沒有教不好的學生，只要心中有愛，沒有喚不回來的。馬上又要開學了，但願我們都能用欣賞的眼光看待我們的孩子、用更寬容的心接納他們。

12 參與：一定要在場才會贏

學校快開學時，學生都陸陸續續回來，交談之下，發現都去了八八水災的災區做志工，讓我聽了很高興。他們自動自發去清淤泥、帶小朋友團康活動、背糧食及水進入路還不通的深山災區。我在年輕的這一代身上看到了公民教育的核心：參與。這觀念重要到連做父母都要講究參與。

在「微軟」變成家喻戶曉的名字之後，比爾・蓋茲的父親常被人問到：「你是怎麼教的，把孩子教得這麼好？」他說：「這真是好問題，因為我也不知道。我唯一能想到的是他們小時候，我盡量參與他們的生活，凡有球賽，我都盡量到場加油。贏的時候，我帶他們去吃冰淇淋；輸的時候，我替他們擦眼淚。學校的家長會、懇親會，我盡量親自出席。除此之外，我跟其他的父親一樣，努力賺錢，餵飽他們的肚子。」

教養孩子無他，參與孩子的生活而已。

「參與」是二十一世紀公民的責任，凡是跟公眾有關的議題，大家要參與，站出來說出你的心聲，貢獻你的時間和精力，監督公共設施的進行，確定沒有偷工減料、沒有不法行為在你周邊發生。外國還有一個叫「公民的逮捕」（citizen's arrest），看到不對的事情，要挺身而出、主張正義。如果每個人都肯參與公共事務的決策與執行，很多人為的災害就可以減少。

出席、在場、參與是所有一切的開始，暢銷書《自然心藥》（*Kitchen Table Wisdom*）的作者雷曼（R. N. Remen）就說：「生命是個老師，但是他教我們的東西不是透過科學的研究，而是透過經驗才得到的。人在這世界上生存只有一個目的：就是有智慧的成長，學會愛人。我們可以從生命中必然有的輸和贏、成功和失敗、有和無中去學習智慧和愛人。我們所需做的不過就是出席、參與，打開我們的胸襟接納別人。所以**要完成生命的目的，就在於我們怎麼主動去扮演角色，而不是被動的被分配。你一定要在場才會贏。**」

好一個「一定要在場才會贏」，**生命教育本來就在實做，有參與才有體驗，有體驗才有感動，有感動，學習就成功了。**南非祖魯人見面時，彼此打招呼的話是

「我看見你了」（I see you），對方的回答是「我在這裡」（I am here）。這麼簡單的對答卻令人感動非凡，一個躲在家中、從來不出來參與任何公共事務的人，不是跟沒有這個人沒兩樣嗎？出來參與打獵、祭祀後，「我看見你了」，我認同你是我族群的一分子。

「我在這裡」是支持，在民主社會中，有人附議，提案才成立。古人說：「**單線不線，孤掌難鳴。**」有人支持，兩人成雙，三人成眾，事情就成了。「我在這裡」對人的心靈更是重要，我小時候怕黑，父親最常告訴我的便是「我在這裡，不要怕」。

生命力

讓孩子從實做中了解人生的意義

《天下雜誌》公布了二〇〇九年十五～二十四歲高中職及大學生生命教育調查的結果，在五千多份的問卷中回收了近八成，所以這個抽樣是具有代表性的。他們問：「現階段的生活，你覺得最痛苦的是什麼？」有四成以上的大學生表示「不知道自己要做什麼」，而高中生則多為「課業太重」，有百分之五的學生認為「不管做什麼，都沒有意義」。

當被問：「你的人生典範是誰？」時，絕大多數回答「沒有」，其次才是父親、自己（以自己作典範，有點怪怪的）、母親或老師。這一題的回答似乎替前面一題找到了答案，如果心中無人生的楷模，當然不知道自己將來要做什麼，也就難怪學生會感到很迷惘、痛苦了。

如果一個孩子長到二十歲，「不知自己要做什麼」，父母便要開始憂心了，而覺得「自己做什麼都沒有意義」就更嚴重了。這種極度的悲觀，在研究上稱為「習得的無助」（learned helplessness）：這個實驗是兩隻狗接受同樣程度的電擊，一隻有主控權，在電來時，可以用鼻子壓鈕把電停掉；另一隻則是怎麼做都無效，只能哀鳴。後來把這兩隻狗搬到全新的環境中，換上全新的籠子，這時，原來可以關掉電源的鈕無效了，這隻原來有主控權的狗在情急之下，會跳過不高的柵欄，到籠子的另一邊去，逃脫電擊；但是過去做什麼都沒用的狗，換到了新環境也不會想辦法逃脫，反而躺下來，全身接觸通電的地板，讓實驗室瀰漫毛皮燒焦的臭味，慘不忍睹，因為牠已全然放棄，甚至連哀鳴都放棄了。

美國政府認為由後天環境造成的學生自我放棄是文明社會的恥辱，所以他們花了很多錢幫助貧民窟的孩子，使他們跟得上課業，不讓絕望產生。因此《天下雜誌》這份調查透露出來的學生無助感不可忽略。

另一份針對二〇〇七年二十萬名大學及研究所畢業生所做的畢業後工作情況調查，發現百分之六十的碩士生做的工作並不需要碩士學歷，有一半以上的碩士生所從事的工作與主修幾乎無關。如果跟專業無關，念碩士所為何來？不是浪費父母的錢和國家的資源嗎？

當國家投資這麼多錢到高教上，而一半以上的學生是所學非所用時，我們需要澈底檢討高等教育的課程了：為什麼我們的訓練趕不上時代的需要？為什麼我們的大學生不知道自己要做什麼？又為什麼會有百分之五的學生覺得自己人生不管做什麼都沒意義？我國教育資源的分配一向是個倒金字塔，小學的學生人數最多，分配到的資源最少，捉襟見肘，許多小學把畢業旅行和戶外教學合併舉行，因為沒有經費。為什麼不把錢用在打根基上？一棵沒有根的樹是不會開花結果的。

這兩份調查讓我們看到教育必須務實、腳踏實地的從小做起，不是用錢去砸「百大」，**生命教育不應該再在教室中上課，而是讓孩子大量閱讀偉人傳記，建立他心中的人生楷模，再帶他們去生活中實做，了解人生的意義。**

生命力

14 臺灣的生命力在民間

有一年署立新竹醫院捐了十五部淘汰的電腦給嘉義一所偏鄉小學，校長帶著學生千恩萬謝的來領回去。城裡報廢的電腦是鄉下孩子夢寐以求的寶貝，有孩子因為抽中了舊電腦，興奮得三天睡不著覺。電腦是一扇打開世界的門，有寬頻、有電腦，城鄉差距就縮短一半了。有個山地孩子跟我說：「老師，我沒有笨，我只是沒有機會。」某年基本學力測驗出了火星文的題目，我為山地的孩子打抱不平時，被嗆說：「誰家沒有三部電腦？」我好想回應說：「請去窮鄉僻壤看一下，三家沒有一部電腦。」憲法保障中華民國的國民都有受教育的權利，但這權利卻是這麼的不公平。

幸好許多政府做不到的地方，民間都在做，這就是臺灣可愛的地方，我深深感到臺灣的生命力在民間，如署立醫院的付出。有個志工說：「我現在不敢說服務了，因為我發現我從孩子身上得到的更多，他們讓我覺得我還有用、還被需要。他們的純真使我想起我自己曾經這樣年輕過，提醒我自己一定要保持赤子之心，我現在只敢說學習，我跟他們學如何做一個更好的人。」聖嚴法師說：「**生命的意義是為了服務，生活的價值是為了奉獻。**」有什麼比自己有能力替別人服務，有價值可以奉獻給別人更高興的呢？

那天在捐贈典禮完了之後，我去到南投縣仁愛鄉的曲冰部落，在那裡我看見聖嚴法師話語的落實。北一女高一的學生在易老師的帶領下，和桃園縣石門國小的學生去到山裡與萬豐國小的學生做了五天的城鄉交流。曲冰部落是濁水溪上游布農族的一個部落，在武界水庫的北端，海拔約八百公尺。那裡真是山明水秀，美不勝收，令人心曠神怡。還有個曲冰遺址，出土了陶片、石簇、石斧及石板棺，可惜無人管理、破壞嚴重，看了好心痛。我們對先人的遺跡、文化的遺產如此不珍惜，真是汗顏。

這個城鄉交流的計畫，是一個北一女的家長盧先生發起的。他讓北一女的大姐姐帶著布農族的一個孩子和石門國小的一個孩子組織成一個「家」，讓孩子們一起學習。在共看過一本書後，於網路上交換心得，透過書本的對話增加彼此的了解。

他也安排曲冰的孩子下山到石門的孩子家中住兩天，體驗城裡的生活。盧先生希望經由道路（兩人實際見面）、網路（兩人虛擬見面），讓山上、山下的孩子變成朋友，將來在人生的路上互相扶持。我夜宿村長的家，跟村長聊天時，深切感覺到這是一個很好的生命教育方式，只有長久深耕一個部落，把山裡的孩子看成自己另外一個孩子，這才真正對山上的孩子有幫助。

我很高興看到越來越多的人認同〈禮運大同篇〉中的「**貨惡其棄於地也，不必藏於己；力惡其不出於身也，不必為己**」，**東西不必留在自己身邊，若別人有用，捐出來給別人用，「物盡其用」是個美德，在經濟不景氣的現在，尤其值得鼓勵。**

國家圖書館出版品預行編目 (CIP) 資料

理直氣平：勇於改變才會進步 / 洪蘭 著.
-- 二版. -- 臺北市：遠流，2020.06
面； 公分. --（洪蘭作品集；A3417）

ISBN 978-957-32-8768-1 (平裝)

1. 言論集

078 109004594

洪蘭作品集 A3417

理直氣平 增訂版

勇於改變才會進步

作　　者／洪蘭博士

主　　編／陳莉苓
編輯協力／袁中美
行　　銷／陳苑如
封面設計／江儀玲
排　　版／平衡點設計

發行人／王榮文
出版發行／遠流出版事業股份有限公司
100 臺北市南昌路二段 81 號 6 樓
郵撥／ 0189456-1
電話／ 2392-6899　傳真／ 2392-6658
著作權顧問／蕭雄淋律師

2020 年 5 月 15 日 二版一刷
2010 年 5 月 1 日 初版一刷
售價新台幣 350 元

ylib 遠流博識網
http://www.ylib.com
e-mail:ylib@ylib.com

理直氣平

理直氣平

理直氣平

理直氣平